CU00901129

# Lettre à Ménécée

Cher Claude,

Épicure n'est pas édité dans la collection des Belles-Lettres, donc j'ai repris celle-ci (GF) dont j'avais aimé la présentation. C'est mon texte "fétiche" de l'Antiquité et c'est un écrit que je trouve réconfortant.

Gros bisous

Abby-Éléonore

# ÉPICURE

# Lettre à Ménécée

●

PRÉSENTATION
TRADUCTION
NOTES
DOSSIER
BIBLIOGRAPHIE

par Pierre-Marie Morel

GF Flammarion

© Editions Flammarion, Paris, 2009.
ISBN : 978-2-0807-1274-5

# SOMMAIRE

## Lettre à Ménécée

# *Abréviations*

*DRN* :            Lucrèce, *De rerum natura (De la nature)*
*Fin.* :            Cicéron, *De finibus bonorum et malorum (Des termes extrêmes des biens et des maux)*
*Hrdt.* :           Épicure, *Lettre à Hérodote*
Long-Sedley :       Long A., Sedley D., *The Hellenistic Philosophers*, Cambridge, 1987 (trad. fr. GF-Flammarion, n° 641-642-643)
*MC* :              Épicure, *Maximes capitales*
*Mén.* :            Épicure, *Lettre à Ménécée*
*PHerc.* :          *Papyrus d'Herculanum*
*SV* :              Épicure, *Sentences vaticanes*
Us. :               H. Usener, *Epicurea*, Leipzig, 1887

## *Avertissement*

La présente traduction se fonde sur le texte grec établi par Hermann Usener (*Epicurea*, Leipzig, 1887). Les divergences et les renvois aux éditions postérieures sont indiqués en notes. Elle a bénéficié, dans ses versions antérieures, des relectures de Daniel Delattre et de Marie-Pierre Noël. Qu'ils en soient tous deux chaleureusement remerciés. Les choix ultimes de traduction sont les miens.

Je remercie très sincèrement José Kany-Turpin, qui a mis à notre disposition sa traduction de Lucrèce (GF-Flammarion, 1997). Les textes figurant ci-dessous dans le Dossier Lucrèce en sont extraits.

## LA *LETTRE À MÉNÉCÉE*, OU LA DISCIPLINE DU BONHEUR

Peu de philosophies ont suscité la polémique autant que l'épicurisme. Parce qu'il défend le plaisir et le définit comme étant notre bien premier et naturel, on le soupçonne d'être immoral. Parce qu'il invite à se méfier des honneurs et des occupations politiques, on veut y voir un ennemi des lois. Parce qu'il dénonce les crimes des religions instituées et les croyances irrationnelles, on l'accuse d'impiété. Ainsi, pour Épictète, Épicure est « celui qui profère des obscénités [1] ». Il est vrai qu'à la différence d'Épictète, certains stoïciens, comme Sénèque, ont su reconnaître la rigueur et la subtilité de la règle de vie prônée par Épicure. Beaucoup d'autres ont cependant préféré se ranger à l'avis de Cléanthe [2],

---

1. Selon Diogène Laërce, *Vies et doctrines des philosophes*, X, 6.
2. Directeur de l'école stoïcienne au IIIe siècle av. J.-C., entre Zénon et Chrysippe. Notons que les stoïciens ne sont pas les seuls dans l'Antiquité, loin s'en faut, à avoir critiqué les épicuriens. La tradition platonicienne au sens large s'est particulièrement illustrée dans ce domaine. Il suffit de songer aux critiques

qui ne voyait dans son éloge du plaisir que le mépris des vertus. Cléanthe représentait la conception épicurienne de la moralité par un tableau saisissant, où l'on devait voir les vertus en servantes soumises, agenouillées devant le trône d'une Volupté parée comme une reine [1].

Comme toutes les caricatures, celles-ci sont à la fois trompeuses et révélatrices, déformant le sujet pour mieux en montrer les traits. D'un côté, la charge est incontestablement excessive. Épicure ne rejette ni les vertus ni les dieux. Il ne condamne pas les institutions politiques en tant que telles, mais invite à se méfier de la pratique politique – le sage, dit-il, ne fera pas de politique – et à fuir la recherche du pouvoir et des honneurs. Une communauté d'amis liés par la philosophie est un mode de sociabilité bien plus sûr que la cité, mais elle ne peut s'y substituer totalement. Il ne recommande pas de goûter le premier plaisir venu, mais prône au contraire une véritable discipline de vie, expliquant que l'on ne trouve pas toujours le plaisir dans la jouissance immédiate. En ce sens, les épicuriens n'ont rien des débauchés auxquels on les assimile traditionnellement depuis l'Antiquité.

Pourtant, l'épicurisme n'est pas une philosophie tiède, une sagesse modérée soucieuse de pondérer

que formule Cicéron dans le deuxième livre du *De finibus* ou au traité de Plutarque intitulé *Qu'il est impossible de vivre avec plaisir si l'on suit Épicure*.
1. Cicéron, *Fin.*, II, 69.

les tendances opposées. Épicure fait véritablement scandale. Il déclare « cracher sur la beauté » – probablement la beauté morale – et ceux qui l'admirent sans raison, quand elle ne produit aucun plaisir [1], et il estime que si une vie de débauche procurait le bonheur, nous n'aurions rien à reprocher à ceux qui la mènent [2]. Il invite à « fuir toute éducation à voile déployée [3] ». Fondamentalement matérialiste, il déclare que notre âme est faite de particules physiques et qu'elle est mortelle au même titre que le corps. Or une telle affirmation met directement en cause les croyances religieuses traditionnelles et populaires, notamment la conviction commune que des châtiments nous attendent dans l'au-delà.

Ce ne sont pas de simples formules provocatrices, mais de véritables thèses. Pour les épicuriens, en effet, renoncer au plaisir au profit de l'admiration convenue de la vertu est absurde, étant donné que le plaisir est la fin même que poursuit en nous la nature. Par ailleurs, une éducation qui se réduit à l'accumulation des connaissances, à la culture savante, fait obstacle à la véritable philosophie, car celle-ci n'use que des connaissances nécessaires au bonheur. Quant à l'âme, elle est composée d'atomes, comme le sont tous les corps [4], car il faut

---

1. Athénée, *Deipnosophistes*, XII, 547a (Us. 512).

2. *MC*, X.

3. Diog. Laërce, X, 6.

4. La physique atomiste des épicuriens n'admet en effet que deux réalités fondamentales : les atomes, en nombre infini, et le vide illimité dans lequel ils se meuvent.

qu'elle soit elle-même corporelle pour pouvoir agir sur le corps. En conséquence, notre âme se disperse nécessairement au moment de la dissolution de l'agrégat corporel. Ainsi, rien de personnel ne subsiste après la mort. Il n'y a donc véritablement rien à craindre, ni de la mort elle-même, ni de nos imaginaires enfers.

Philosophie inconfortable, discipline dont la rigueur vaut bien celle de l'austérité stoïcienne, l'épicurisme promet pourtant, dans un seul et même geste, le bonheur et le plaisir. Il propose le seul remède possible au mal de vivre. La *Lettre à Ménécée* se présente précisément comme une sorte de guide à la fois pratique et thérapeutique : elle accompagne et oriente notre désir d'être heureux ; elle définit les soins dont notre âme a besoin pour se guérir des opinions fausses et des peurs infondées.

Elle intègre d'ailleurs la formule de ce que les épicuriens postérieurs appelleront le « quadruple remède » *(tetrapharmakos)* [1], les quatre ingrédients nécessaires de la médecine de l'âme. La *Lettre* adopte par là même, avec quelques nuances, la structure des quatre premières *Maximes capitales* d'Épicure, qui établissent, dans l'ordre où elles se présentent, les quatre principes essentiels de

---

1. Pour reprendre l'expression par laquelle l'épicurien Philodème, au Ier siècle av. J.-C., désigne cet ensemble de préceptes (*Aux amis de l'École, PHerc.* 1005, V).

l'éthique : (I) le divin est bienheureux et incorruptible, n'éprouve aucun souci et n'en cause pas en autrui, et ne connaît ni colère ni complaisance ; (II) la mort n'est rien pour nous, parce qu'elle correspond à l'absence de sensation ; (III) la limite des plaisirs se définit par l'absence de douleur, de sorte que douleur et plaisir s'excluent mutuellement ; (IV) la douleur ne dure qu'un temps limité et le plaisir, dans le corps, l'emporte toujours sur la douleur. Quelle que soit la nature du destinataire – on ne sait à peu près rien de Ménécée, sinon qu'il était un proche de l'école et que ses fils auraient été des disciples d'Épicure –, la portée de ce petit écrit n'a donc rien de privé. Il prodigue ses bienfaits à tous, à tout âge et en toutes circonstances : « Il n'est en effet, pour personne, ni trop tôt ni trop tard lorsqu'il s'agit d'assurer la santé de l'âme [1]. »

La *Lettre* suit le plan suivant :

1. Prologue : il faut s'exercer à philosopher, et cela sans délai car on ne doit pas différer le moment d'être heureux (§§ 122-123).

2. Les dieux sont bienheureux et incorruptibles ; ils ne sont pas à craindre. Critique des opinions de la foule à leur sujet (§§ 123-124).

3. La mort n'est rien pour nous ; elle n'est donc pas à craindre. Il est déraisonnable et inutile d'espérer une vie illimitée (§§ 124-127).

---

1. *Mén.*, 122.

4. Il faut faire des différences entre les désirs, et privilégier les seuls désirs naturels et nécessaires. Le plaisir qui en résulte implique l'exclusion de la douleur (§§ 127-128).

5. Le plaisir est principe et fin de la vie heureuse, mais celle-ci suppose une juste estimation et une mesure comparative, par délimitation réciproque, des plaisirs et des peines (§§ 128-130).

6. La mesure des plaisirs, par l'exercice d'un « raisonnement sobre », est la marque de l'autosuffisance, et elle s'oppose à la recherche permanente et sans fin des jouissances immédiates (§§ 130-132).

7. La prudence réalise la synthèse du plaisir et de la vertu (§ 132).

8. Épilogue : le sage vit selon les préceptes qui viennent d'être définis ; il ne craint ni la fortune ni le destin, et sait que ce qui dépend de lui est sans autre maître que lui-même. Il vit comme un dieu parmi les hommes (§§ 133-135).

Comme on le voit aussitôt, la règle de vie et l'exercice pratique que recommande Épicure ne sauraient se confondre avec un ensemble de préceptes comportementaux, ou avec la préconisation d'une conduite mécanique et irréfléchie. Suivre la voie du plaisir n'est pas s'en remettre au seul instinct. C'est en réalité suivre la raison. La discipline du bonheur est donc une discipline rationnelle.

L'usage de la raison prend ici deux formes : suivre les principes que dicte la science de la nature et pratiquer le « raisonnement sobre » qui permet d'évaluer et de comparer les plaisirs et les peines. La première image que donne l'épicurisme est celle d'une philosophie de la nature, non seulement parce que la science de la nature *(phusiologia)* y tient une place centrale, mais encore parce que l'éthique épicurienne invite à mener une vie conforme à la nature. Ainsi, la *Maxime capitale* XXV d'Épicure nous exhorte à rapporter chacun de nos actes, en toutes circonstances, à la « fin de la nature », si nous voulons que nos actions soient cohérentes avec nos discours. En un sens, pourtant, ce rapport à la nature ne va pas de soi. Tout d'abord, la nature physique n'est autre, fondamentalement, que des atomes et du vide. L'organisation de notre monde, sa beauté même, ne sont que les effets précaires d'un mouvement de corpuscules initialement désordonné. Le monde lui-même est voué à la destruction et il n'est qu'un exemplaire singulier parmi l'infinité des mondes qui peuplent un univers illimité. Il n'y a ni providence ni finalité qui puissent justifier l'ordre régional et fragile dans lequel nous vivons. Rien, dans la nature, n'est là *pour* autre chose, que ce soit du fait d'une intention expresse ou d'une cause finale immanente, de sorte que nous ne pouvons pas dire non plus que la nature est là *pour* nous. La nature physique n'est donc pas en elle-même porteuse de sens : elle est neutre. Pourtant, la connaissance scientifique de la nature révèle les causes cachées des phénomènes, ce qui ne nous apparaît pas et dont les effets (tonnerre, tremblements de terre, épidémies) souvent nous terrorisent.

Elle nous détourne ainsi des illusions communes, des peurs infondées et de la superstition. C'est grâce au plaisir, c'est-à-dire à une affection, un critère immédiat et proprement naturel, que nous pouvons choisir une vie heureuse, mais celle-ci ne nous est accessible que par l'intermédiaire d'une sorte de science du bonheur capable d'opposer un discours rationnel aux jugements erronés.

La *Lettre à Ménécée* commence précisément en donnant deux exemples remarquables de ces situations où la connaissance de la nature œuvre directement à la tranquillité de l'âme. Le premier exemple est celui de la représentation correcte des dieux. Connaître la nature, en effet, permet de savoir, non seulement qu'il y a des dieux, mais encore *pourquoi* ils ne sont pas à craindre. La première injonction de la *Lettre* est de les tenir pour ce qu'ils sont, c'est-à-dire des vivants incorruptibles et bienheureux, et de ne rien leur attribuer qui soit contraire à ces deux propriétés fondamentales [1]. Cette prescription éthique fait un double appel à la physique. En premier lieu, elle dissocie les dieux des phénomènes naturels, notamment célestes, que les hommes mettent généralement sur le compte de leur volonté ou de leur colère : la béatitude des dieux a pour corollaire leur indifférence à l'égard de l'ordre du monde et des agissements humains [2]. En

---

1. *Mén.*, 123-124.
2. *Hrdt.*, 76-78 ; voir également ci-dessous Dossier Lucrèce, 1, p. 75.

second lieu, elle suppose que les dieux ont une nature ou un statut physique qui explique leur incorruptibilité et qui fonde leur béatitude. Les textes épicuriens sont malheureusement peu précis sur ce point. Aussi certains commentateurs [1] estiment-ils que les dieux ne diffèrent pas réellement de la représentation que nous en avons et qu'ils sont en fait des constructions mentales. Le Dieu ne serait donc qu'un flux d'images correspondant au concept que nous avons de lui. Dans le texte le plus attentif à la question du statut physique des dieux, l'épicurien Velleius estime d'ailleurs que la forme des dieux n'est pas un corps solide mais un « quasi-corps », dont le sang n'est qu'un « quasi-sang » [2]. Pourtant, on s'interroge sur le lieu qu'ils occupent, et l'on suppose qu'ils vivent dans l'espace séparant les mondes, des « intermondes », où ils ne subissent aucune altération de la part des mouvements atomiques [3]. Or, s'ils occupent un lieu, on doit supposer que, malgré leur subtilité – leur nature est ténue et intangible –, ce sont bel et bien des corps existant par soi, et non pas seulement des images ou des projections mentales. Quoi qu'il en soit, qu'elle relève de la psychologie des représentations ou qu'elle appartienne plutôt à la physique et à la cosmologie, la question des dieux n'a rien de surnaturel : elle appartient à la science de la nature et elle

---

1. Voir ci-dessous, p. 56.
2. Cicéron, *De la nature des dieux*, I, 43-49.
3. Voir notamment *DRN*, V, 146-155 ; Cicéron, *De la nature des dieux*, I, 18 ; *Fin.*, II, 75.

nous instruit avant tout sur les objets du monde physique.

De même, et c'est là le second exemple, la philosophie naturelle dessine les limites de ce qui me touche, enseignant que ce qui est au-delà n'est pas à craindre. C'est le cas de la mort : la physique m'apprend que l'âme est corporelle, composée d'atomes, et que ses fonctions cognitives dépendent de la proportion de ces atomes dans l'agrégat qu'elle forme avec le corps. Elle ne survit donc pas à la mort du corps et l'on n'éprouve plus aucune sensation, une fois passé cette limite. En sachant que la mort est une cessation de sensation, et qu'aucun « moi » ne subsiste s'il ne peut plus sentir, je sais que je ne suis pas contemporain de ma propre mort. Celle-ci n'est donc « rien pour moi » et je n'en éprouve aucune douleur, si bien qu'elle n'est plus à craindre [1].

Le plus fameux héritier romain d'Épicure, le poète Lucrèce, invoque à l'appui de cette doctrine la force de ce qu'il appelle les « pactes naturels » *(foedera naturae)*. Il donne ainsi une justification cosmologique à l'événement de la mort : le vieillard doit céder la place, car toute chose dans la nature doit participer à la formation d'une autre, non pas en vertu d'un plan divin et intelligent mais conformément au processus universel de compensation atomique [2]. La contrainte des lois naturelles ne doit

---

1. *Mén.*, 124-127.
2. *DRN*, III, 962-972. Voir ci-dessous Dossier Lucrèce, 3b.

pas nous désespérer : savoir que toute vie particulière connaît un terme naturel, c'est aussi se détourner du désir vain de l'immortalité. La connaissance des principes fondamentaux de la nature – éléments dont la *Lettre à Hérodote* d'Épicure offre une présentation abrégée – est donc requise pour la recherche du bonheur[1].

Inversement, si le savoir ne nous rendait pas plus heureux, il ne servirait à rien. À la différence des sciences particulières cultivées pour elles-mêmes, et à l'opposé de la pure érudition des savants, la tâche de la philosophie est de nous conduire au bonheur. Elle est donc la seule science qui soit absolument nécessaire. Elle est l'unique savoir indispensable et, ainsi, la seule activité qui soit pleinement conforme à notre nature. La science de la nature, la connaissance des principes fondamentaux, constitue donc le soubassement doctrinal d'un calcul rationnel orienté vers l'action. C'est le « raisonnement sobre » décrit dans la *Lettre*, appréciation dont la vertu ou l'excellence est la prudence (en grec : *phronêsis*).

L'usage pratique de la raison se fonde avant toute chose sur la thèse de l'assimilation du bonheur au plaisir. Ce n'est pas un pur coup de force théorique, car Épicure prend grand soin de justifier cette affirmation. Les paragraphes 128-129 de la *Lettre à*

---

1. Voir la justification éthique, par l'épicurien Torquatus, de l'apprentissage de la physique (Cicéron, *Fin.*, I, 64).

*Ménécée* permettent de se faire une idée assez précise de son argumentaire. Partons de cette constatation que la connaissance de la nature conduit à la connaissance de ce qui nous est naturellement approprié. Les hommes recherchent naturellement la vie heureuse, qui a pour fin « la santé du corps et l'absence de trouble *(ataraxia)* dans l'âme [1] ». L'absence de trouble, parce qu'elle est un état sans manque, correspond à l'absence de douleur. Celle-ci coïncide donc avec la fin naturelle que nous poursuivons. Or Épicure estime qu'il n'y a pas d'état intermédiaire entre la douleur et le plaisir, ce qui s'explique sans doute par l'identification de la douleur à un manque et par le fait qu'il n'y a pas d'état intermédiaire entre le manque et l'absence de manque. L'absence de douleur coïncide donc avec le plaisir lui-même, si bien que celui-ci est la fin de la vie heureuse, notre bien premier et « connaturel [2] ».

La recommandation épicurienne de prudence, quant à elle, se justifie ainsi : si tout plaisir est bon par principe, il n'en résulte pas que tout plaisir soit à choisir. Quand on envisage un plaisir donné, il faut l'évaluer, lui attribuer un certain prix, c'est-à-dire déterminer à la fois sa valeur intrinsèque et son coût. Tout plaisir a par définition une valeur intrinsèque, mais si son coût doit excéder cette valeur, il faut y renoncer. Dans cette économie du plaisir, ce dernier se voit en quelque sorte doté d'une double

---

1. *Mén.*, 128.
2. *Mén.*, 129.

valeur : celle qu'il possède par nature en tant que plaisir, et celle qu'il reçoit, par ailleurs, du calcul prudent que l'on effectue dans une situation donnée.

Le choix d'un plaisir suppose en outre que l'on privilégie, parmi les désirs, ceux qui sont à la fois naturels et nécessaires au bonheur, c'est-à-dire ceux qui peuvent être satisfaits par la philosophie et l'amitié. Ils se distinguent des désirs nécessaires à l'absence de troubles du corps ou à la satisfaction des besoins vitaux, ainsi que des désirs simplement naturels – comme les désirs sexuels. Les désirs naturels s'opposent dans leur ensemble aux désirs « vains » ou « sans fondements » [1], comme les honneurs ou le luxe.

Tous les plaisirs ne correspondent d'ailleurs pas au même degré d'apaisement. Certains textes [2] distinguent en effet entre, d'une part, les plaisirs « en mouvement » ou « cinétiques », comme le plaisir de boire quand on a soif, ou encore la joie ou la gaieté qui succèdent aux moments de crainte ou d'angoisse et, d'autre part, les plaisirs « en repos », « stables » ou « catastématiques ». Ces derniers, absence de douleur physique et ataraxie, expriment l'état de stabilité de notre constitution *(katastêma)*, parce qu'ils ne sont pas éprouvés comme un simple

---

1. *Mén.*, 127.
2. Voir par exemple Diog. Laërce, X, 136 ; Cicéron, *Fin.*, I, 39. La distinction entre ces deux types de plaisirs n'apparaît pas explicitement dans les textes conservés d'Épicure.

état d'amélioration ou de compensation : ils sont pleinement dissociés de la douleur, qu'elle soit corporelle ou psychique. Les premiers plaisirs ne sont pas pour autant à éliminer, comme le montre ce mot du Maître du Jardin : « Personnellement, je ne parviens pas à concevoir ce que peut être le bien, si j'élimine les plaisirs que procurent les saveurs, si j'élimine ceux du sexe, si j'élimine ceux que procurent les sons, et si j'élimine les mouvements agréables que suscite la vue de la beauté des formes [1]. »

Seuls les plaisirs catastématiques sont parfaitement indépendants de toute douleur antécédente. Ils semblent donc constituer le fond de tranquillité psychique qui nous met en état de procéder sereinement au calcul des plaisirs et des peines. On peut ainsi supposer qu'ils sont nécessaires au bon usage que nous pouvons faire, par ailleurs, des plaisirs cinétiques. Le fait que l'on puisse atteindre un seuil d'équilibre dans le plaisir montre en tout cas clairement que celui-ci, loin de nous vouer à des désirs illimités, définit une limite, un état de stabilité qui ne saurait avoir d'autre nom que celui de « bonheur ».

Le plaisir, d'autre part, n'est pas seulement le terme d'un processus d'apaisement de l'âme : il en est aussi la condition première. C'est ce que suggère Épicure lorsqu'il précise que « le plaisir est principe *(archê)* et fin *(telos)* de la vie bienheureuse [2] ». La

---

1. Épicure cité par Athénée, *Deipnosophistes*, XII, 546e (Us. 67). Voir aussi Diog. Laërce, X, 6.

2. *Mén.*, 128.

canonique – la théorie des critères ou règles de connaissance et d'action – confère en effet à l'affection *(pathos)* un rôle de critère, et les affections principales sont précisément le plaisir et la douleur. Or l'affection est à la fois un critère de connaissance et un critère pratique : elle nous instruit de ce qui nous est approprié et de ce qui ne l'est pas, et elle motive nos choix et nos refus [1]. Elle établit de ce fait un rapport immédiat et naturel entre la connaissance et l'action. Cela suffit-il pour bien agir, pour discerner notre intérêt réel en toutes circonstances, pour adopter une conduite ordonnée ? Que faire si deux plaisirs semblent s'opposer ou se faire concurrence ? Le calcul instruit par le « raisonnement sobre » consiste précisément à évaluer nos affections particulières – le plaisir ou la douleur que nous éprouvons dans telle ou telle situation – de telle sorte que la connaissance « affective » de ce qui nous est approprié serve de fondement à des actions véritablement réfléchies. Le plaisir est donc à la fois au commencement et au terme des activités qui caractérisent la vie heureuse.

Les adversaires de l'épicurisme n'ont pas manqué de dénoncer ici un hédonisme qui semble à première vue négliger le souci d'autrui, privilégier l'éthique personnelle au détriment de la conduite proprement morale. Le choix épicurien d'une vie entourée

---

1. Diog. Laërce, X, 34 ; *Mén.*, 129.

d'amis, en retrait de la vie publique [1], ne lève pas totalement l'ambiguïté. L'amitié procure avant tout la sécurité *(asphaleia)* de l'âme, et paraît en ce sens avoir encore pour ultime fin la tranquillité personnelle [2]. Or celle-ci n'implique apparemment pas le bien d'autrui.

Face à cette difficulté, la première réponse des épicuriens réside dans une conception des rapports humains que l'on pourrait caractériser comme un idéal de sociabilité restreinte. Si l'on considère en effet que l'amitié n'est pas un simple adjuvant du bonheur mais une condition première de la vie heureuse, elle cesse d'apparaître comme un moyen ou une option parmi d'autres d'assurer sa propre sécurité. Le portrait du sage qui clôt la *Lettre à Ménécée* va dans ce sens : il vit parmi ses semblables, « comme un dieu parmi les hommes [3] ». Le sage épicurien vit donc en communauté par définition – au moins idéalement –, ce qui implique qu'il n'ait pas à faire le *choix* de l'amitié. Celle-ci constitue un aspect essentiel de la vie bonne. C'est d'ailleurs l'amitié, précise Épicure, qui procure le plus de plaisir [4]. Autrui, dans l'amitié épicurienne, n'est jamais un simple moyen, parce qu'il est à la fois l'agent et le bénéficiaire d'un bonheur commun. Il n'en

---

1. *MC* VII ; *SV* 58 ; *DRN*, V, 1120-1135. Épicure, comme on le sait, prescrit le « vivre caché » (Us. 551).

2. *MC* XXVII, XXVIII, XL.

3. *Mén.*, 135.

4. *MC* XL.

demeure pas moins que l'amitié n'est qu'une forme particulière de sociabilité et, qui plus est, une sociabilité contenue dans une sphère assez étroite. Elle ne suffit donc pas à prouver que la vie de plaisir est compatible avec la vertu sous toutes ses formes.

La solution consiste dès lors à dépasser l'opposition trop rigide du plaisir et de la vertu. Choisir de poursuivre un plaisir exige, on l'a vu, un calcul prudent des conséquences, une anticipation comparative des plaisirs et des peines qui en résulteront. Or la vertu entre en compte, elle aussi, dans ce calcul : la prudence enseigne que le plaisir est indissociable de la prudence elle-même, de l'honnêteté et de la justice [1]. Il faut donc supposer que les plaisirs qui nuisent à autrui entraînent des conséquences contraires au plaisir : la réprobation, la punition ou le trouble intérieur. Ainsi, « les vertus sont naturellement liées à la vie agréable et la vie agréable en est inséparable [2] ».

On pourrait encore objecter que les vertus ne sont ici que des moyens ou des instruments du bonheur. Mais l'objection atteint-elle son but ? D'un côté, la question de la fonction exacte de l'amitié et de la morale dans la réalisation du bonheur semble avoir été discutée au sein même de la tradition épicurienne, si l'on en croit l'exposé de Torquatus dans le *De finibus* de Cicéron [3]. Dans ce texte, il s'agit

---

1. *Mén.*, 132.
2. *Mén.*, 132.
3. *Fin.*, I, 66-70.

notamment de répondre aux objections, académiciennes et stoïciennes, qui reposent sur l'antinomie supposée entre la recherche égoïste du plaisir considéré comme souverain bien et l'altruisme constitutif de l'amitié. L'amitié véritable ne saurait être simplement *utile* à notre plaisir. Les épicuriens qui ont la préférence de Torquatus répondent que l'amitié, au même titre que les vertus, est intrinsèquement liée au plaisir [1]. Le sage éprouve les mêmes sentiments envers l'ami qu'envers lui-même et il œuvre au plaisir de son ami autant qu'au sien propre.

D'un autre côté, il est probable que la plupart des épicuriens aient opté pour une attitude résolument pragmatique. Certains ont en effet estimé qu'il était inutile, pour établir les principes de la conduite morale, d'assigner à la vertu un rang supérieur à celui d'un instrument nécessaire, d'un « agent producteur » de plaisir, agent dont l'activité est par ailleurs simultanée à l'effet qu'elle produit [2]. Un tel agent ne se confond pas avec son effet, mais il en est inséparable. En tout état de cause, il serait absurde de vouloir, au nom de la vertu, réprimer le plaisir, le seul état qui nous soit parfaitement naturel. Ce verdict est conforme à ce que nous dit la nature au travers de nos affections, et il est confirmé dans l'exercice de la rationalité pratique. Le bonheur épicurien relève à la fois d'une discipline et

---

1. *Fin.*, I, 68.
2. Voir la position adoptée par Diogène d'Œnoanda, ci-dessous, p. 67-68.

d'une appréciation calculée du juste remède. Il appelle donc une diététique, ce qui est tout autre chose qu'une ascèse.

## ÉPICURE ET LA TRADITION ÉPICURIENNE

Épicure est né sur l'île de Samos en 341 avant J.-C., de parents athéniens. Il vécut à Athènes à partir de 307/306, et il y mourut en 270. On connaît mal les circonstances exactes de sa formation philosophique. Épicure cite très peu ses prédécesseurs et lorsqu'il polémique, il le fait le plus souvent de manière allusive, au point qu'il semble ignorer en partie les écrits de ses adversaires. Il prétend n'avoir pas eu d'autre maître que lui-même [1], mais il n'est pas, en réalité, un penseur solitaire. Il recueille auprès de Nausiphane de Téos l'enseignement laissé par le fondateur de l'atomisme, Démocrite d'Abdère (né autour de 460 ; mort autour de 360), dont il étudie de près la doctrine. Il conserve l'essentiel de sa physique, la théorie des atomes et du vide. Cicéron affirmera même – non sans exagérer – qu'il n'y a rien dans la physique d'Épicure qu'on ne trouve déjà chez Démocrite [2]. La question de l'héritage philosophique dont bénéficie Épicure est encore ouverte, mais son intérêt est tout relatif. La *Lettre à Ménécée* est assez instructive à ce sujet :

---

1. Diog. Laërce, X, 13.
2. *De la nature des dieux*, I, 73.

bien que l'on puisse y discerner des allusions polé-
miques, contre Platon ou contre Démocrite, ses
charges sont avant tout dirigées contre les opinions
de la foule, les croyances communes qui nourrissent
les superstitions et les craintes infondées. Pour Épicure, il y a bien plus de sens, et d'urgence, à combattre la déraison commune qu'à disputer entre
philosophes.

Après plusieurs années d'enseignement dans dif-
férentes cités, il fonde autour de 306 sa propre école
philosophique à Athènes, le Jardin, aux environs
immédiats de la cité. C'est l'époque où l'hégémonie
intellectuelle du Lycée fondé par Aristote (mort
en 322) et de l'Académie platonicienne commence
à être contestée. Épicure sera d'ailleurs suivi de peu
par Zénon de Citium, qui fonde l'école stoïcienne
(le Portique) en 301. Le paysage philosophique
athénien subit donc en quelques années de pro-
fondes mutations, dont Épicure est l'un des principaux acteurs. Ses disciples directs, comme
Hermarque, qui lui succéda à la tête du Jardin,
contribueront à l'approfondissement de la doctrine
et ils le feront dans un grand souci de fidélité et
d'orthodoxie. Le Jardin, du vivant d'Épicure, est
une communauté d'amis observant scrupuleuse-
ment ses injonctions et cherchant à s'isoler de la
cité afin que chacun préserve sa tranquillité d'âme.
L'épicurisme, après sa mort, conservera quelque
chose de cette atmosphère confidentielle et tout
entière concentrée autour de la personnalité du
Maître.

Épicure est l'auteur d'une œuvre considérable, aujourd'hui en grande partie perdue. Diogène Laërce cite quarante et un titres d'Épicure et précise qu'il ne mentionne là que ses meilleurs ouvrages [1]. Parmi ceux-ci, le *De la nature (Peri phuseôs)*, en trente-sept livres, devait être le plus important par son volume et par la précision de son contenu doctrinal. Il ne nous en reste que quelques fragments. Le livre X des *Vies et doctrines* de Diogène Laërce permet en partie de combler cette lacune, parce qu'il reproduit des textes continus d'Épicure, dont certains – les *Lettres* – constituent d'ailleurs des résumés de la doctrine : la *Lettre à Hérodote* (sur la physique et les principes fondamentaux de la philosophie) ; la *Lettre à Pythoclès* (sur la cosmologie, les phénomènes atmosphériques et les astres) ; la *Lettre à Ménécée* et les quarante *Maximes capitales* [2]. De plus, Diogène apporte nombre d'enseignements sur la vie d'Épicure, sur l'école et la doctrine.

Par la suite, l'influence de l'épicurisme s'étend au-delà du cercle des disciples athéniens. Au Ier siècle avant notre ère, Rome devient le lieu d'un important renouveau épicurien, à la faveur des débats qui

1. X, 27-28.
2. Les *Sentences vaticanes*, ou *Exhortation d'Épicure* (quatre-vingt-une maximes à caractère éthique, dont treize comptent également parmi les *Maximes capitales*), figurent sur un manuscrit de la Bibliothèque vaticane datant du XIVe siècle, mais elles n'ont été éditées pour la première fois qu'à la fin du XIXe siècle.

opposent les grandes écoles philosophiques. L'épicurisme devient une philosophie romaine. L'hosti-
lité souvent féroce des stoïciens est du reste une
preuve de la vitalité de l'épicurisme, qui fait alors
figure d'adversaire obligé. On songera à ce propos
au mot de Marc Aurèle : « soit la Providence, soit
les atomes[1] ». L'atomisme des épicuriens est la
principale alternative à la vision stoïcienne d'un
*kosmos* intelligemment organisé.

Le protagoniste majeur du renouveau romain de
l'épicurisme est Lucrèce (Titus Lucretius Carus),
auquel nous consacrons le dossier qui figure à la fin
de ce volume. Nous ne savons pratiquement rien de
sa vie, sinon qu'il vécut en Italie dans la première
moitié du Ier siècle avant J.-C. et qu'il adresse son
poème à un certain Memmius[2]. Seul le texte même
de son poème, *De la nature des choses (De rerum
natura),* permet de se faire une idée de son projet
philosophique et de sa personnalité. Cicéron,
comme l'atteste un bref passage d'une lettre de
février 54 à son frère Quintus, connaît l'œuvre de
Lucrèce, mais il ne le cite pas lorsqu'il cite ou
attaque les thèses épicuriennes. Lucrèce se présente
lui-même comme le simple traducteur ou l'imitateur
d'Épicure[3]. Son indéniable fidélité ne doit cependant pas masquer l'originalité de la forme et sa

---

1. *Pensées pour soi-même*, IV, 3, 2.
2. Probablement C. Memmius, homme politique cultivé,
préteur en 58 av. J.-C.
3. *DRN*, III, 6.

volonté d'adapter la doctrine sur plusieurs points fondamentaux, comme la doctrine de la déclinaison *(clinamen)* de l'atome [1]. Ce texte, indépendamment de sa consistance philosophique et littéraire intrinsèque, est l'indispensable complément d'une lecture attentive de la *Lettre à Ménécée*.

Le poème de Lucrèce se présente schématiquement ainsi. Chant I : principes de l'atomisme ; réfutation des cosmologies d'Héraclite, d'Empédocle et d'Anaxagore ; Chant II : propriétés des atomes et modalités de leurs mouvements et conjonctions – infinité de l'univers et pluralité des mondes ; Chant III : composition atomique et mortalité de l'âme ; Chant IV : la vision et les illusions perceptives – explication des facultés cognitives en général et des processus physiologiques – critique de la passion amoureuse ; Chant V : genèse et destruction des mondes – problèmes d'astronomie – origine de la vie et histoire de l'humanité ; Chant VI (peut-être inachevé) : phénomènes météorologiques et terrestres – la peste d'Athènes.

Signalons par ailleurs que l'épicurisme romain ne se limite pas à Lucrèce, ni même à la philosophie de langue latine. Philodème de Gadara, philosophe grec originaire de Syrie, ami et protégé du consul Calpurnius Pison, est l'auteur d'une œuvre abondante dans laquelle il est question d'éthique, d'esthétique, de politique, de logique, de théologie, ou des positions des diverses écoles philosophiques.

--------

1. Voir ci-dessous, p. 69, et Dossier Lucrèce, 4, p. 100.

Les fragments conservés issus de ses traités proviennent d'un fonds papyrologique toujours exploité de nos jours. Celui-ci doit son existence à la découverte, en 1753, d'un grand nombre de rouleaux calcinés – mais aussi partiellement conservés de ce fait même – lors de l'éruption du Vésuve en 79 après J.-C. Ces rouleaux constituaient une partie d'une vaste bibliothèque épicurienne, peut-être celle de Philodème lui-même. Ils représentent une documentation très précieuse sur les développements de l'épicurisme et sur ses nouveaux centres d'intérêt, comme la rhétorique ou la poésie.

Après la période romaine, il semble que les adeptes de la philosophie du Jardin se dispersent. L'inscription murale de Diogène d'Œnoanda, en Lycie, au sud du plateau anatolien, atteste que des communautés épicuriennes ont subsisté jusqu'au IIe siècle de notre ère au moins.

Heureusement pour notre connaissance de la doctrine, nous disposons d'autres sources que les textes authentiquement épicuriens, en grande partie perdus ou mutilés, le poème de Lucrèce constituant sur ce point une exception. Ainsi, la polémique qui oppose Cicéron aux héritiers du Jardin offre un ensemble très significatif de témoignages et de citations des épicuriens, notamment au livre I du *De la nature des dieux (De natura deorum)* et aux livres I et II du traité *De termes extrêmes des biens et des maux (De finibus bonorum et malorum)*. Cicéron

met en scène des représentants du Jardin et trans-
met par ce biais plusieurs éléments doctrinaux qui
ne figurent nulle part ailleurs sous une forme aussi
développée. C'est le cas à propos de la conception
épicurienne des dieux dans le premier de ces deux
textes.

Un siècle plus tard, Plutarque apparaîtra comme
un critique féroce, mais aussi très subtil, de l'épicurisme antique. Il adresse à ses représentants de mul-
tiples objections dans les *Œuvres morales* et
consacre à la doctrine trois traités extrêmement
riches en informations et en citations : *Qu'il est
impossible de vivre avec plaisir si l'on suit Épicure* ;
*Contre Colotès* ; *Sur la question de savoir si « vis
caché » est un bon précepte*.

Pour prendre un dernier exemple, retenons que
Sextus Empiricus, dans sa vaste entreprise de
défense de Pyrrhon et de la tendance sceptique en
général, développe de nombreuses critiques contre
l'épicurisme, notamment dans les textes suivants :
*Contre les savants*, VII, 203-216 = Long-Sedley 16 E
et 18 A (sur la canonique) ; IX, 43-47 = Long-
Sedley 23 F (sur les dieux) ; X, 219-227 = Long-
Sedley 7 C (sur le statut des propriétés). Là encore,
la polémique fait source, et nous offre des docu-
ments qui, s'ils doivent être soigneusement évalués
à l'aune des textes originels, n'en forment pas moins
leur nécessaire complément.

$$\boxed{\begin{array}{c} R\,e\,p\,\grave{e}\,r\,e\,s \\ c\,h\,r\,o\,n\,o\,l\,o\,g\,i\,q\,u\,e\,s \end{array}}$$

| Les épicuriens | | Autres écoles philosophiques | | |
|---|---|---|---|---|
| | | – 399 | Mort de Socrate | |
| | | | | – 400 |
| | | – 384 | Naissance d'Aristote | |
| | | – 360/ – 350 | Mort de Démocrite | |
| | | – 347 | Mort de Platon | |
| –341 | Naissance d'Épicure | | | |
| | | – 322 | Mort d'Aristote | |
| –306 | Fondation du Jardin | | | |
| | | – 301 | Fondation du Portique stoïcien par Zénon de Citium | |
| | | | | – 300 |
| –270 | Mort d'Épicure (successeur : Hermarque) | | | |
| | | – 268-264 | Fondation de la Nouvelle Académie par Arcésilas | |
| | | – 262 | Cléanthe chef du Portique | |
| | | – 232 | Chrysippe chef du Portique | |
| | | | | – 200 |

| Les épicuriens | Autres écoles philosophiques | |
|---|---|---|
| | – 129 | Panétius chef de l'école stoïcienne (successeur : Posidonius) |
| Lucrèce Philodème | | |
| | | **– 100** |
| | – 43 | Assassinat de Cicéron |
| | – 4 | Naissance de Sénèque |
| | | **J.-C.** |
| | 50/60 | Naissance d'Épictète |
| [79  Éruption du Vésuve] | 121 | Naissance de Marc Aurèle |
| | Env. 135 | Mort d'Épictète |
| Diogène d'Œnoanda ? | | |
| | 161 | Début du règne de Marc Aurèle |
| | 180 | Mort de Marc Aurèle |

# Lettre à Ménécée

[extrait de : Diogène Laërce, *Vies et doctrines des philosophes illustres*, Livre X]

Épicure à Ménécée, salut.

Qu'on ne remette pas la philosophie à plus tard parce qu'on est jeune, et qu'on ne se lasse pas de philosopher parce qu'on se trouve être vieux. Il n'est en effet, pour personne, ni trop tôt ni trop tard lorsqu'il s'agit d'assurer la santé de l'âme. Or celui qui dit que le moment de philosopher n'est pas encore venu, ou que ce moment est passé, est semblable à celui qui dit, s'agissant du bonheur, que le moment n'est pas encore venu ou qu'il est passé[1]. Par conséquent, doivent philosopher aussi bien le jeune que le vieillard, celui-ci afin qu'en vieillissant il reste jeune sous l'effet des biens, par la gratitude qu'il éprouve à l'égard des événements passés, et celui-là, afin que, tout jeune qu'il soit, il soit aussi un ancien par son absence de crainte devant ce qui va arriver[2]. Il faut donc consacrer ses soins[3] à ce qui produit le bonheur, tant il est vrai que, lorsqu'il est présent, nous avons tout, et que, lorsqu'il est absent, nous faisons tout pour l'avoir.

[123] Les recommandations que je t'adresse continuellement, mets-les en pratique et fais-en l'objet de tes soins, reconnaissant en elles distinctement les éléments du bien vivre.

En premier lieu, considérant que le dieu[a] est un vivant incorruptible et bienheureux, ainsi que la notion commune[b] du dieu en a tracé l'esquisse, ne lui ajoute rien d'étranger à son incorruptibilité, ni rien d'inapproprié à sa béatitude. En revanche, tout ce qui peut préserver en lui la béatitude qui accompagne l'incorruptibilité, juge que cela lui appartient[4]. Car les dieux existent. Évidente est en effet la connaissance que l'on a d'eux[5].

Mais ils ne sont pas tels que la plupart des hommes les conçoivent. Ceux-ci, en effet, ne les préservent pas tels qu'ils les conçoivent[6]. Est impie, d'autre part, non pas celui qui abolit les dieux de la foule, mais celui qui ajoute aux dieux les opinions de la foule, [124] car les déclarations de la foule à

––––––––––

a. « Dieu » : non pas un dieu de la religion grecque traditionnelle, ni une Providence toute-puissante : les dieux épicuriens sont des êtres matériels indestructibles, donc imperturbables par nature, et qui ne s'occupent pas des événements qui nous touchent.

b. « Notion commune » : l'idée que nous avons naturellement de la divinité. La « béatitude » – le bonheur parfait – et l'incorruptibilité sont les deux caractéristiques essentielles du divin, les deux propriétés que nous lui attribuons dès que nous en avons la notion (voir ci-dessous Dossier Lucrèce, 1a).

propos des dieux ne sont pas des préconceptions, mais des suppositions fausses.

Il en résulte que les dieux sont à l'origine des plus grands malheurs et des plus grands bienfaits[7]. En effet, adonnés en toutes circonstances à leurs propres vertus, ils sont favorables à ceux qui leur ressemblent et considèrent comme étranger tout ce qui n'est pas tel[8].

Accoutume-toi à considérer que la mort n'est rien pour nous[9], puisque tout bien et tout mal sont contenus dans la sensation ; or la mort est privation de sensation. Par suite, la sûre connaissance que la mort n'est rien pour nous fait que le caractère mortel de la vie est source de jouissance, non pas en ajoutant à la vie un temps illimité, mais au contraire en [125] la débarrassant du regret de ne pas être immortel. En effet, il n'y a rien de terrifiant dans le fait de vivre pour qui a réellement saisi qu'il n'y a rien de terrifiant dans le fait de ne pas vivre. Aussi parle-t-il pour ne rien dire, celui qui dit craindre la mort, non pour la douleur qu'il éprouvera en sa présence, mais pour la douleur qu'il éprouve parce qu'elle doit arriver un jour ; car ce dont la présence ne nous gêne pas ne suscite qu'une douleur sans fondement[a] quand on s'y attend[10]. Ainsi, le plus effroyable des maux, la mort, n'est rien pour nous, étant donné, précisément, que quand nous sommes,

---

a. « Douleur sans fondement » : une douleur sans raison véritable, fruit de notre imagination et de nos opinions fausses.

la mort n'est pas présente ; et que, quand la mort est présente, alors nous ne sommes pas. Elle n'est donc ni pour les vivants ni pour ceux qui sont morts, étant donné, précisément, qu'elle n'est rien pour les premiers et que les seconds ne sont plus.

Mais la plupart des hommes, tantôt fuient la mort comme si elle était le plus grand des maux, tantôt la choisissent comme une manière de se délivrer des maux de la vie [11]. [126] Le sage, pour sa part, ne rejette pas la vie et il ne craint pas non plus de ne pas vivre, car vivre ne l'accable pas et il ne juge pas non plus que ne pas vivre soit un mal. Et de même qu'il ne choisit nullement la nourriture la plus abondante mais la plus agréable, il ne cherche pas non plus à jouir du moment le plus long, mais du plus agréable [12].

Quant à celui qui recommande au jeune homme de bien vivre et au vieillard de bien achever de vivre, il est stupide, non seulement si l'on tient compte des satisfactions que la vie procure, mais aussi parce que c'est par un seul et même soin que l'on parvient à bien vivre et à bien mourir. Et il est encore bien pire, celui qui dit que c'est une belle chose que de ne pas être né, *et une fois né de franchir au plus vite les portes de l'Hadès* [a]. [127] En effet, s'il est convaincu de ce qu'il affirme ainsi, comment se fait-il qu'il ne quitte pas la vie [13] ? De fait, c'est à sa portée, pourvu qu'il y soit fermement déterminé.

---

a. Citation de Théognis (poète grec du VI<sup>e</sup> siècle av. J.-C.), v. 425-427. L'« Hadès », c'est-à-dire les Enfers.

En revanche, si c'est une plaisanterie de sa part, il parle pour ne rien dire sur des questions qui ne l'admettent pas.

Il faut en outre garder en mémoire que ce qui va arriver [a] n'est pas en tout point sous notre gouverne, et qu'il n'y échappe pas non plus en tout point, afin que nous ne l'attendions pas comme s'il devait infailliblement se produire, et que nous ne nourrissions pas non plus l'espoir qu'il ne se produise absolument pas.

Il faut en outre établir par analogie [b] que, parmi les désirs, les uns sont naturels, les autres sans fondement [14] et que, parmi ceux qui sont naturels, les uns sont nécessaires et les autres naturels seulement. Parmi ceux qui sont nécessaires, les uns sont nécessaires au bonheur, d'autres à l'absence de dysfonctionnements dans le corps, [128] et d'autres à la vie elle-même. En effet, une étude rigoureuse des désirs permet de rapporter tout choix et tout refus à la santé du corps et à l'absence de trouble dans l'âme, puisque c'est cela la fin de la vie bienheureuse. C'est en effet en vue de cela que nous faisons tout, afin de ne pas souffrir et de ne pas éprouver de craintes. Mais une fois que cet état s'est réalisé en nous, toute la tempête de l'âme se dissipe, le vivant n'ayant pas besoin de se mettre en marche vers quelque chose

---

a. Voir ci-dessous, § 133, p. 51.
b. « Par analogie » : en établissant des ressemblances et en faisant des comparaisons.

qui lui manquerait, ni à rechercher quelque autre chose, grâce à laquelle le bien de l'âme et du corps trouverait conjointement sa plénitude. C'est en effet quand nous souffrons de l'absence du plaisir que nous avons besoin du plaisir ; mais, quand nous ne souffrons pas, nous n'avons plus besoin du plaisir [15]. Voilà pourquoi nous disons que le plaisir est principe et fin [a] de la vie bienheureuse [16]. **[129]** Nous savons en effet qu'il est un bien premier et apparenté [17], et c'est en partant de lui que nous commençons, en toute circonstance, à choisir et à refuser, et c'est à lui que nous aboutissons, parce que nous discernons tout bien en nous servant de l'affection [b] comme d'une règle [18].

En outre, puisqu'il est notre bien premier et connaturel [c], pour cette raison nous ne choisissons pas non plus tout plaisir. En réalité, il nous arrive de laisser de côté de nombreux plaisirs, quand il s'ensuit, pour nous, plus de désagrément. Et nous considérons que beaucoup de souffrances l'emportent sur des plaisirs, chaque fois que, pour

---

a. « Principe et fin » : le plaisir est fin *(telos)*, c'est-à-dire aussi bien le but et l'achèvement que la limite ou le terme clairement défini. Parce qu'il est limité, c'est-à-dire déterminé, le plaisir est également « principe » *(archê)* ou point de départ du bonheur.

b. « Affection » : plaisir ou peine ; ce que l'on éprouve en soi-même et qui nous indique spontanément ce que nous devons rechercher ou éviter.

c. « Connaturel » : attaché à notre constitution naturelle.

nous, un plaisir plus grand vient à la suite des souffrances que l'on a longtemps endurées. Ainsi, tout plaisir, parce qu'il a une nature qui nous est appropriée, est un bien, et pourtant tout plaisir n'est pas à choisir [19]. De même encore, toute souffrance est un mal, [130] mais toute souffrance n'est pas toujours par nature à refuser. C'est toutefois par la mesure comparative et l'examen de ce qui est utile et de ce qui est dommageable qu'il convient de discerner tous ces états, car, selon les moments, nous usons du bien comme d'un mal ou, à l'inverse, du mal comme d'un bien [20].

Par ailleurs, nous considérons l'autosuffisance [21] elle aussi comme un grand bien, non pas dans l'idée de faire avec peu en toutes circonstances, mais afin que, dans le cas où nous n'avons pas beaucoup, nous nous contentions de peu, parce que nous sommes légitimement convaincus que ceux qui ont le moins besoin de l'abondance sont ceux qui en tirent le plus de jouissance, et que tout ce qui est naturel est facile à acquérir, alors qu'il est difficile d'accéder à ce qui est sans fondement [22]. Car les saveurs simples apportent un plaisir égal à un régime d'abondance [131] quand on a supprimé toute la souffrance qui résulte du manque, et du pain et de l'eau procurent le plaisir le plus élevé, lorsqu'on s'en procure alors qu'on en manque [23]. Donc, s'accoutumer aux régimes simples et non abondants assure la plénitude de la santé, rend l'homme actif dans les occupations nécessaires à la conduite de la vie, nous met dans de plus fortes dispositions quand nous allons, par moments, vers l'abondance, et nous prépare à être sans crainte devant les aléas de la fortune.

Quand donc nous disons que le plaisir est la fin, nous ne parlons pas des plaisirs des débauchés ni de ceux qui consistent dans les jouissances – comme le croient certains qui, ignorant de quoi nous parlons, sont en désaccord avec nos propos ou les prennent dans un sens qu'ils n'ont pas [24] –, mais du fait, pour le corps, de ne pas souffrir [132] et, pour l'âme, de ne pas être troublée. En effet, ce n'est ni l'incessante succession des beuveries et des parties de plaisir, ni les jouissances que l'on trouve auprès des jeunes garçons et des femmes, ni celles que procurent les poissons et tous les autres mets qu'offre une table abondante, qui rendent la vie agréable : c'est un raisonnement sobre, qui recherche la connaissance exacte des raisons de tout choix et de tout refus, et qui rejette les opinions à partir desquelles une extrême confusion s'empare des âmes [25].

Or le principe de tout cela et le plus grand bien, c'est la prudence [a] [26]. C'est pourquoi la prudence est plus respectable encore que la philosophie [27], car elle entraîne naturellement tout le reste des vertus, enseignant qu'il n'est pas possible de mener une vie

---

a. « Prudence » : en grec, *phronêsis*. C'est la vertu que l'on exerce en pratiquant le raisonnement sobre, le juste calcul des plaisirs et des peines.

agréable, qui ne soit pas prudente, belle et juste, pas plus que la vie ne peut être prudente, belle et juste si elle n'est pas agréable. Car les vertus sont naturellement liées à la vie agréable et la vie agréable en est inséparable.

[133] Dès lors, qui considères-tu comme supérieur à celui[28] qui porte sur les dieux des jugements pieux ; qui demeure continûment sans crainte devant la mort ; qui a pris en compte la fin de la nature ? Il comprend que la limite des biens est facile à atteindre dans sa plénitude et à acquérir, alors que celle des maux dure peu de temps ou n'inflige que peu de peines. Il proclame[29] d'autre part que <le destin>, que certains présentent comme le maître de toutes choses, <ne l'est pas. Il estime pour sa part que certaines choses se produisent par nécessité>[30], tandis que d'autres sont le fait de la fortune[a] et que d'autres encore sont en notre pouvoir[31], parce que la nécessité ne peut rendre de comptes. Quant à la fortune, il voit qu'elle est incertaine, tandis que ce qui est en notre pouvoir est sans maître[32] et que le blâme et son contraire en sont la suite naturelle [134] (puisqu'il vaudrait mieux suivre la fable sur les dieux, que s'asservir au destin des physiciens[33] : la première, en effet, dessine l'espoir de fléchir les dieux en les honorant, tandis que le second ne contient qu'une inflexible

a. « Fortune » : hasard, heureux ou malheureux.

nécessité). Il[a] comprend d'autre part que la fortune n'est ni un dieu, comme le croient la plupart des hommes – car rien de ce qui est accompli par un dieu n'est désordonné –, ni une cause inconstante de tout[34] – il ne croit pas, en effet, que les hommes lui doivent le bien et le mal dont dépend la vie bienheureuse, mais que des prémisses de biens et de maux importants ont été produites par elle[35] –, [135] considérant qu'il vaut mieux être infortuné et bien raisonner que fortuné et mal raisonner. Car il est préférable que, dans nos actions, ce que nous avons décidé avec raison ne soit pas favorisé par la fortune[36].

Ainsi, fais de ces choses et de celles qui s'y apparentent l'objet de tes soins, jour et nuit, pour toi-même et pour qui t'est semblable, et jamais, ni éveillé ni en songe, tu ne connaîtras de trouble profond, mais tu vivras comme un dieu parmi les hommes. Car il n'est en rien semblable à un vivant mortel l'homme qui vit au milieu de biens immortels[37].

---

a. Le sage.

# NOTES D'APPROFONDISSEMENT
## À LA *LETTRE À MÉNÉCÉE*

1. La santé de l'âme est le bonheur, tel que la *Lettre* va le définir. Le malheur, inversement, est une maladie de l'âme. Il y a, à cela, trois conséquences. *a)* Le bonheur et le malheur, comme la bonne et la mauvaise santé du corps, dépendent de l'application d'un traitement approprié. Il n'y a donc pas de fatalité dans le fait d'être malheureux : le bonheur et le malheur dépendent de nous (voir ci-dessous, § 133 : « ce qui est en notre pouvoir est sans maître »). *b)* La thérapie de l'âme est l'affaire de la philosophie et d'elle seule, car seule la philosophie peut remédier aux maux psychiques (illusions, opinions fausses, craintes irrationnelles). Comme Socrate l'avait déjà montré dans le *Gorgias* de Platon, la philosophie est la médecine de l'âme. *c)* Il y a urgence à philosopher. À la différence de Platon cette fois, Épicure ne pense pas qu'il faille attendre d'avoir un âge avancé ni d'avoir parcouru un long cycle d'études préparatoires avant de faire de la philosophie (voir Platon, *République*, VII, 540a, qui fixe à 50 ans l'âge approprié à la pratique de la philosophie). D'une part, il est dangereux pour l'âme de ne pas la soigner aussitôt ; d'autre part, il est contradictoire avec l'idée même de bonheur de le remettre à plus tard. De

fait, quand le bonheur est absent, « nous faisons tout pour l'avoir ». Il semble donc que le désir de bonheur soit plus fort et plus fondamental que l'éventuelle décision de nous en soucier ultérieurement : seul le bonheur assigne un but et un terme à nos activités, de sorte que tout autre état que le bonheur est voué à l'incomplétude et au manque. Décider de différer d'être heureux, cela reviendrait donc à vouloir le manque, à savoir viser une fin qui n'en est pas une. Ce serait une attitude absurde.

2. Épicure distingue ici l'âge biologique de l'âge existentiel. Le jeune est aussi averti qu'un ancien devant l'existence, dès lors qu'il atteint la tranquillité de l'âme et qu'il ne craint plus l'avenir. Le vieillard, de son côté, peut littéralement *raviver* les moments de bonheur et se rendre effectivement heureux à leur souvenir. Il doit pour cela faire un usage adéquat de sa représentation du temps, et admettre que la représentation *présente* du bien passé est plus forte que la représentation de l'absence de ce bien. Dans une lettre à son disciple et ami Idoménée, Épicure, alors malade, écrit ainsi : « les souffrances consécutives à la rétention d'urine et à la dysenterie se sont poursuivies sans rien perdre de leur violence. Mais, face à tout cela, s'élève la joie de l'âme, fondée sur le souvenir de nos conversations passées » (Diog. Laërce, X, 22). Sur ce même thème, voir aussi les *SV* 17, 18, 55.

3. « Avoir soin » du bonheur et aussi « s'exercer » à faire ce qui le produit, conformément aux deux sens principaux du verbe *meletaô*, utilisé ici et dans la phrase suivante (« fais-en l'objet de tes soins »). Épicure invite, dans la *Lettre à Ménécée*, à un exercice simultanément intellectuel et pratique, de méditation et de mémorisation, que résument les quatre premières *Maximes capitales* d'Épicure : les dieux ne sont pas à craindre ; la mort

n'est rien pour nous ; le plaisir est à la fois la limite vers laquelle il faut tendre et l'exclusion de toute douleur ; la douleur n'est pas illimitée. C'est aussi le plan globalement suivi par la *Lettre*, qui s'achève par le portrait du sage (§§ 133-135), réalisation vivante des quatre principes fondamentaux de l'éthique épicurienne.

4. Nous avons spontanément une notion du divin, puisque le mot signifie quelque chose pour nous. Dès que nous entendons ou prononçons le mot, précise Diogène Laërce dans sa présentation de la théorie épicurienne de la connaissance (X, 33), nous avons l'esquisse ou le schéma de la préconception qui lui correspond (l'homme, le cheval, le bœuf). Sur la notion commune *(koinê noêsis)* du dieu, ou préconception (pour traduire le terme *prolêpsis*, au § 124) que nous en avons et qui nous le représente comme un être incorruptible et bienheureux, voir également l'important exposé de l'épicurien Velleius au premier livre du traité de Cicéron *De la nature des dieux*. Épicure indique ici ce qui est d'abord un fait : la notion du divin est nécessairement constituée par ces deux propriétés très générales – il s'agit d'une « esquisse » et non pas à proprement parler d'une définition. Il est en effet impossible de se représenter véritablement le divin sans ces deux attributs. Toutefois, c'est également un devoir vis-à-vis de nous-mêmes, une nécessité éthique : il *faut* continuer de se représenter le divin sous ces deux traits pour préserver l'âme d'une crainte injustifiée des dieux. La règle sera donc de supprimer toutes les représentations incompatibles avec ces derniers (voir sur ce point *Hrdt.*, 76-82). Notons que cette règle n'est pas seulement négative : les deux caractéristiques essentielles sont également compatibles avec d'autres qualifications. On pourra dire ou supposer, par exemple, que les dieux ont une forme humaine parce que

c'est la plus belle de toutes (propos de Velleius chez Cicéron, *De la nature des dieux*, I, 46), ou encore que les dieux parlent grec, puisque telle est la langue des sages (Philodème, *Des dieux*, III, 14).

5. Il ne va pas de soi que le fait d'avoir une représentation du divin implique l'existence de celui-ci. Trois possibilités se présentent. *a)* On peut comprendre l'argument autrement que comme une preuve ontologique de l'existence du divin, en attribuant à Épicure une conception « mentaliste » des dieux : la représentation du divin atteste son existence, parce que celui-ci n'est rien d'autre qu'une projection mentale, à savoir sa représentation même, que nous sommes certains d'avoir (quand je me représente $x$, je sais que j'ai une certaine représentation de $x$). L'idée selon laquelle les dieux épicuriens ne seraient en fait que des projections mentales, et non pas des objets physiques existant par soi, a été défendue par plusieurs commentateurs (J. Bollack, A. Long et D. Sedley, J.-F. Balaudé). *b)* La notion du divin est en nous par nature, parce que nous recevons des images physiques – les simulacres – émises par les corps des dieux. Cette notion n'est pas le fait d'une décision humaine, de l'éducation ou d'une quelconque convention culturelle. Le consensus qui fonde la représentation atteste donc l'existence du divin. Voir en ce sens l'argument de Velleius chez Cicéron, *De la nature des dieux*, I, 44. *c)* On peut enfin supposer que dans l'esprit des épicuriens, l'incorruptibilité du divin n'est pas seulement une qualification négative (la résistance à toute force contraire), mais une propriété positive et absolue : le divin est incorruptible au sens où il est éternel ; or ce qui est éternel ne commence ni ne cesse d'exister ; donc il existe nécessairement ; donc le divin existe. Voir, à l'appui

de cette conclusion, Lucrèce, *DRN*, V, 1175-1178 (et ci-dessous Dossier Lucrèce, 1b), ainsi que le glissement opéré par Velleius, qui qualifie les dieux d'« immortels » avant de les dire « éternels », *De la nature des dieux*, § 45. Si l'on admet par ailleurs que l'immortalité du dieu est la conséquence immédiate de sa résistance physique (la compensation totale et immédiate de toutes ses déperditions d'atomes), il n'y a alors aucune raison de supposer que les dieux épicuriens ne sont que des êtres de représentation. Sur cette question, voir désormais J. Kany-Turpin, « Les dieux. Représentation mentale des dieux, piété et discours théologique », dans A. Gigandet, P.-M. Morel (éd.), *Lire Épicure et les épicuriens*, Paris, P.U.F., « Quadrige Manuels », 2007, p. 145-165.

6. Les suppositions fausses de la foule altèrent la vraie notion du divin en lui attribuant des propriétés incompatibles avec sa béatitude et son incorruptibilité, c'est-à-dire avec sa nature même. Ces fausses représentations sont causes des plus grands troubles pour les âmes des hommes. Elles conduisent en effet à imaginer des colères divines et des châtiments infernaux. Voir ci-dessous Dossier Lucrèce, 1b et 3c. Inversement, se représenter les dieux comme bienheureux, exempts de colère et de jalousie, c'est trouver en eux un véritable modèle de sagesse (voir Cicéron, *op. cit.*, § 51). La véritable piété est donc la tranquillité de l'âme, comme le dit Lucrèce (V, 1203 ; voir ci-dessous Dossier Lucrèce, 1b), parce que celle-ci suppose que l'on ait une juste représentation du divin.

7. En suivant ici le texte grec tel qu'il est édité par Arrighetti.

8. Prendre les dieux pour modèles contribue à notre bonheur. Ces deux phrases posent des difficultés importantes. Dans la première, le texte grec est problématique

et a subi de nombreuses corrections dans les éditions modernes. On peut trouver paradoxale l'idée que les dieux soient à l'origine des malheurs et des bienfaits, étant donné qu'ils ne se soucient pas des affaires humaines. Dans ce cas, il faudrait sous-entendre, comme le font certains traducteurs, que cette idée est encore à mettre au compte des suppositions fausses de la foule. Celle-ci croit en effet, bien à tort, que les dieux sont intentionnellement causes de bienfaits et de malheurs. Cependant, Philodème (*De la piété*, col. 38, 1096-1097 Obbink) rapporte que, d'après l'épicurien Polyen, la nature divine – le divin – est « cause » de certains biens. Cela ne veut pas dire qu'ils agissent intentionnellement, comme des agents moraux mais, bien plus probablement, que l'idée que nous avons d'eux est, pour nous, bénéfique ou dommageable. Voir V. Tsouna, *The Ethics of Philodemus*, Oxford, Oxford University Press, 2007, p. 245-246. On peut donc supposer que les idées fausses à propos des dieux sont causes de malheurs. Inversement, l'homme de bien atteindra l'absence de trouble grâce à sa juste conception du divin. Dans la seconde phrase, dès lors, on comprendra que les dieux eux-mêmes sont favorables – non pas intentionnellement ni volontairement, mais par la nécessité de leur nature et par l'intermédiaire de la représentation qu'on en a – à ceux qui leur sont semblables, principalement aux sages, qui respectent pour leur part la préconception ou notion commune du divin (voir ci-dessous, § 133-135). Pour une lecture alternative du passage, voir par exemple Long-Sedley 23 B (GF n° 641, p. 280-281).

9. Cette célèbre formule (voir ci-dessous Dossier Lucrèce, 3a) ne signifie pas que la mort ne nous importe en rien ou qu'elle est pour nous une question négligeable,

mais qu'elle ne nous concerne en rien *physiquement*. Elle ne nous affecte pas matériellement, et ne nous fait donc pas souffrir. De fait, puisque nous n'y survivons pas, nous ne sommes jamais contemporains de notre propre mort. Aussi n'est-elle pas à craindre. L'inférence qui permet de parvenir à cette conclusion consiste à considérer, d'une part, que la mort est absence de sensation et, d'autre part, que la sensation est le critère incontestable de notre existence personnelle. Quand il n'y a plus de sensation, il n'y a plus d'existence personnelle. La sensation, en effet, appartient à la fois à l'âme et au corps en son entier. Elle est donc le signe que notre âme est en état de centraliser les informations sensorielles et nos états intérieurs conscients. Même si le passage de la vie à la mort est graduel, les atomes de l'âme quittant progressivement l'agrégat (voir Lucrèce, *DRN*, III, 526-547), la mort comme événement psychique personnel est soudaine. Elle tranche le lien qui unifie la sensibilité vitale (voir Lucrèce, *DRN*, III, 635). Rappelons en outre que, pour les épicuriens, la sensation est le premier critère de vérité (seul le jugement, ou l'opinion, nous abuse), de sorte que la sensation ne saurait nous tromper sur nous-mêmes. Il importe en tout cas – et c'est en ce seul sens que la mort nous concerne – de méditer et d'être capable d'expliquer que la mort ne nous affecte pas dans notre existence physique personnelle.

10. Cette douleur « nous peine à vide », c'est-à-dire sans raison consistante. L'adverbe *kenôs* (« sans fondement », « en vain », « à vide ») préfigure la distinction du § 127 entre désirs naturels et désirs « vides ». La foule craint l'idée qu'elle se fait de la mort, c'est-à-dire celle d'une mort que nous pourrions éprouver. Or nous ne pouvons pas éprouver notre propre mort. Cette idée est

donc une représentation sans fondement objectif, de sorte que c'est l'idée, et non pas l'événement même de la mort, qui nous rend celle-ci douloureuse.

Se lamenter parce que la mort doit venir, alors que chaque composé matériel a par nature une durée d'existence limitée, c'est aussi former le désir vide d'une vie éternelle. Voir ci-dessous Dossier Lucrèce, 3b. Le remède consiste alors à se tourner vers la philosophie naturelle, la *phusiologia*, qui nous enseigne ces vérités essentielles et s'avère ainsi nécessaire au bonheur (voir *Hrdt.*, 78-83 et ci-dessous Dossier Lucrèce, 3d).

11. Selon certains éditeurs (J. Bollack, notamment), il faudrait comprendre : « la plupart des gens fuient la mort, tantôt comme le plus grand des maux, tantôt comme l'arrêt des choses de la vie », c'est-à-dire comme étant l'arrêt de la vie elle-même.

12. Le sage assigne des limites à ses propres désirs, qu'il s'agisse de la limite des plaisirs ou de la limite de la vie. Voir la *MC* XX. Ce qui est bon est limité, c'est-à-dire fixé par un terme que l'on peut atteindre, et non pas illimité et inaccessible. Inversement, c'est la même illusion du caractère illimité du bon qui altère notre jugement dans les deux cas évoqués : quand nous croyons que l'accumulation des biens extérieurs – ici, la nourriture – augmente le plaisir que nous en tirons, et quand nous croyons qu'une vie plus longue serait plus agréable. La qualité du plaisir ne dépend pas de sa quantité. Sur le rôle de la définition des limites dans l'éthique épicurienne, voir notamment J. Salem, *Tel un dieu parmi les hommes. L'éthique d'Épicure*, Paris, Vrin, 1989.

13. Le vieillard doit aimer la vie durant tout le temps où il est en vie, et non pas se lamenter à l'idée d'une mort prochaine, ni regretter sa jeunesse et aller par dépit

au-devant de la mort. Encore une fois, la qualité du moment présent est indifférente à l'âge biologique, parce qu'elle n'est pas polluée par la crainte de la mort et le vain désir d'éternité. On mettra donc la même application, le même soin, à vivre et à faire face à la mort. Lucrèce, il est vrai, semble inviter le vieillard à mettre fin à ses jours s'il ne peut plus éprouver de plaisirs (*DRN*, III, 943 ; et voir ci-dessous Dossier Lucrèce, 3b). Toutefois, Épicure semble ici dire autre chose : s'il faut assigner un terme ou une limite à sa propre vie, ce n'est pas par le suicide que l'on y parviendra, sinon dans des situations extrêmes, mais en cultivant l'éthique épicurienne de la limite (voir la note précédente), c'est-à-dire en atteignant l'état d'absence de trouble et de douleur. Voir en ce sens J. Warren, *Facing Death. Epicurus and its Critics*, Oxford, Oxford University Press, 2004, p. 139.

14. Ou : « vides » *(kenai)*. L'analogie, ou inférence par ressemblance, consiste à identifier ce que les désirs ont de commun et ce en quoi ils diffèrent. Il s'agit d'un procédé logique reposant sur une méthodologie complexe que Philodème a reconstituée dans son traité sur la méthode d'inférence (*De signis*, ou *De la méthode d'inférence*). Par ailleurs, l'opposition entre ce qui est « naturel » et ce qui est « vide » a une forte connotation physique. Elle suggère que l'on classe les désirs comme on classe les choses. Parmi ces dernières, certaines ont une existence naturelle et constituent ou concernent des réalités corporelles (les atomes, les composés ou agrégats ; les propriétés des corps) ; face à elles, on ne trouve que le vide. De même, certains désirs sont consistants et sont réellement appropriés à notre nature, dont ils réalisent l'équilibre ; d'autres sont simplement sans fondement ou vides, et ne lui sont appropriés qu'en apparence

(la richesse, les honneurs). Parmi les désirs naturels, il convient de distinguer entre, d'une part, les désirs nécessaires à la survie (comme la satisfaction des besoins vitaux) ou au bonheur (comme la suppression de la douleur, la philosophie, l'amitié) et, d'autre part, ceux qui ne sont nécessaires ni à l'une ni à l'autre (le désir sexuel ou les satisfactions esthétiques). Cette discipline des désirs est rationnelle : c'est une « analogie » et une « étude rigoureuse ». Elle prépare le calcul des plaisirs et des peines (§§ 129-130). L'estimation qui en résulte se trouve cependant confirmée par l'affection de plaisir elle-même. Le plaisir (voir ci-dessous, §§ 128-129) est en effet le véritable critère de ce qui nous est approprié et naturel et, partant, le critère ultime de discrimination entre les désirs. Sur les différents types de désirs, voir également Épicure, *Mén.*, § 130 ; *MC* XXVI ; XXIX ; XXX ; *SV* 20 ; 81, ainsi que les témoignages de Cicéron : *Tusculanes*, V, 93 ; *Fin.*, I, 45.

15. Thèse fondamentale de la conception épicurienne du plaisir : le plaisir est l'exclusion de toute douleur (*MC* III ; Cicéron, *Fin.*, I, 37-38). Le plaisir se définit en effet comme absence de manque. Or il n'y a pas de troisième voie possible entre le manque et l'absence de manque. En conséquence, il n'y a pas d'état intermédiaire ou mixte, dans lequel nous pourrions ou bien n'éprouver ni plaisir ni douleur, ou bien éprouver *à la fois* l'un et l'autre (voir ci-dessous §§ 130-131). Corrélativement, les arguments formulés contre la vie de plaisir par Socrate dans le *Gorgias* de Platon s'effondrent : il n'y a aucun sens à dire que la recherche du plaisir est une quête infinie, illimitée, qu'elle est comparable au remplissage d'un tonneau percé (*Gorgias*, 493a-c), au prétexte que tout plaisir cacherait un manque. La distinction entre plaisirs cinétiques et

catastématiques (voir ci-dessus, Présentation, p. 25-26) est peut-être un argument supplémentaire contre une telle conception du plaisir : le plaisir catastématique ou « en repos » est absolument exempt de douleur.

Par ailleurs, dire, comme Épicure le fait ici, que « nous n'avons plus besoin du plaisir » quand nous n'éprouvons aucune souffrance, ne veut pas dire que l'on se passe du plaisir, mais que cet état, parce qu'il est sans manque, fait immédiatement place au plaisir. Nous ne sommes donc plus en manque de plaisir. Les épicuriens semblent hésiter à ce sujet entre deux conceptions du plaisir : une conception négative du plaisir, qui l'identifie à l'absence de douleur physique et psychique (*Mén.*, 131-132 ; Cicéron, *Fin.*, I, 37), et une conception positive selon laquelle la cessation de toute douleur n'est pas le plaisir lui-même, mais plutôt un état qui coïncide avec le plaisir (*SV* 42). Une solution possible consisterait à dire que, génériquement ou formellement, le plaisir est toujours conscience de l'absence de douleur, mais que tel plaisir spécifique se définit également, positivement, comme plaisir pris à l'amitié, plaisir pris à la philosophie, etc.

16. Le plaisir est un état déterminé indubitable car il est, comme la douleur, une « affection » *(pathos)*. Or une affection est en elle-même évidente. C'est pourquoi l'affection figure parmi les critères (Diog. Laërce, X, 31 ; 34), au même titre que la sensation et la préconception. Le plaisir peut donc jouer le rôle d'une règle stable de choix et de refus et fonder l'estimation rationnelle que représente le calcul prudent (§§ 129-132). Le plaisir n'est donc pas seulement un critère étroitement hédoniste – ce à quoi l'on reconnaît ce qui procure de la jouissance –, mais également un critère éthique : il oriente notre action et permet l'exercice de la vertu (voir § 132). Sur le plaisir

comme fin, voir, outre le § 128, les §§ 131-133 ; les *MC* III ; X ; XI ; XVIII ; XIX ; XX ; XXI ; XXII ; XXV ; *SV* 25.

17. Ou : « congénital » *(suggenikon)*, ce qui veut dire que ce plaisir accompagne nécessairement notre constitution fondamentale. En ce sens, il est « naturel », approprié à notre nature. Il est « connaturel » *(sumphuton)*, dit Épicure un peu plus bas. Nous en avons la preuve avec la recherche du plaisir et l'aversion de la douleur chez les jeunes animaux et les petits enfants, dès le berceau (Diog. Laërce, X, 137 ; Cicéron, *Fin.*, I, 30 ; 71). Sur la portée et les limites de cet argument, voir l'étude de J. Brunschwig, « L'argument des berceaux chez les épicuriens et chez les stoïciens », dans ses *Études sur les philosophies hellénistiques. Épicurisme, stoïcisme, scepticisme*, Paris, P.U.F., 1995, p. 69-112. C'est pourquoi nous pouvons dire que le plaisir coïncide avec notre « fin naturelle » (sur cette expression, voir notamment la *MC* XXV).

18. Ou d'un « critère » *(kanôn)*. Les deux affections fondamentales, plaisir et peine, sont les critères de tout choix positif et de tout refus ou rejet (voir Diog. Laërce, X, 30-31 ; 34). Ainsi, loin de se cantonner dans leur domaine sans rien partager avec la raison, elles constituent la règle en vertu de laquelle le jugement pratique doit nécessairement s'exercer. Épicure doit donc d'abord exposer sa doctrine du plaisir et lui assigner une fonction de règle, pour pouvoir ensuite aborder, à partir des lignes suivantes, le calcul pratique.

19. Phrase en apparence très paradoxale : tout plaisir est un bien ; donc tout plaisir devrait être à choisir ; pourtant tout plaisir ne doit pas être choisi. La solution se trouve dans le calcul comparatif des plaisirs et des

peines. Si un plaisir doit occasionner des peines plus grandes, il ne doit pas être choisi. Inversement, certaines peines peuvent être sources de plaisir ou mettre fin à d'autres douleurs. Ainsi la douleur d'un traitement chirurgical doit être choisie si elle évite des douleurs plus grandes. Il n'en demeure pas moins que « tout plaisir est un bien », c'est-à-dire est intrinsèquement bon. De fait, tant qu'il dure, il exclut toute douleur (*MC* III). Pourquoi s'abstenir de ce qui est intrinsèquement bon ? La solution pourrait être alors de distinguer entre le bien en général – le plaisir comme fin globale de la vie – et tel ou tel bien – tel ou tel plaisir – particulier. Nous devons toujours viser le bien en général, conformément à notre nature. Toutefois, pour ce faire, nous devons laisser de côté de nombreux biens particuliers et, par conséquent, de nombreux plaisirs ou moments de plaisir.

20. La mesure comparative des plaisirs et des peines consacre le rôle de la raison dans l'éthique épicurienne. Cette comparaison est un aspect du « raisonnement sobre » défini au § 132. Elle justifie également le pragmatisme d'Épicure : la valeur de telle action ou de tel état est relative à la fin poursuivie, à savoir le véritable bien. Même si un plaisir est en soi toujours bon, s'il s'avère qu'il risque de procurer par ses suites de plus grandes douleurs, nous procédons avec lui « comme si » il était un mal. La méthode des plaisirs consiste donc à ajouter par le calcul rationnel une valeur d'utilité à ce que l'affection désigne comme étant simplement bon ou mauvais.

21. Ou l'« autarcie », l'« indépendance » *(autarkeia)*. C'est un trait communément reconnu au sage depuis Aristote (*Éthique à Nicomaque*, X, 7-8). Pour Épicure, voir encore *SV* 44, 45 et *SV* 77 : « Le fruit le plus important de l'autosuffisance, c'est la liberté. » L'autosuffisance se définit ici comme la capacité à se satisfaire de

ce qui est à notre disposition (Lucrèce, *DRN*, V, 1117-1119), et non pas comme une recherche systématique de la privation et de l'ascèse (« non pas dans l'idée de faire avec peu en toutes circonstances »). Elle correspond à la *limite* positive à laquelle est parvenu le sage, et à partir de laquelle il n'éprouve plus de manque (voir ci-dessus, note 15 p. 62). Comme le dit l'épicurien Torquatus chez Cicéron, le sage « se contient dans les limites définies par la nature » (*Fin.*, I, 44).

22. « Sans fondement », c'est-à-dire « vide », « sans consistance ». Le naturel se réciproque avec l'accessible. Le naturel, en effet, c'est ce qui procure du plaisir. Or le plaisir est facile à se procurer, parce qu'il se définit comme réplétion, suppression d'un manque ou d'une douleur. Dès lors que nous trouvons le remède approprié à notre nature physique, nous atteignons le plaisir. Or la douleur et les déséquilibres qui atteignent notre nature sont limités. De tels remèdes sont donc en principe faciles à trouver. Inversement, les désirs qui ne sont ni naturels ni nécessaires sont difficiles à satisfaire, puisqu'il ne s'agit pas simplement de mettre fin à une douleur par définition limitée, mais de satisfaire des envies sans limites. Voir *MC* XX et XXI ; Cicéron, *Tusculanes*, V, 93 ; *Fin.*, I, 45 ; et ci-dessous Dossier Lucrèce, 5b.

23. Sénèque dira ainsi, reprenant Épicure : « Du pain, de l'eau, voilà ce que la nature demande », *Lettres à Lucilius*, 25, 4 (Us. 602).

24. Voir Épicure, *De la nature (Peri phuseôs)* 31.13.22 Arrighetti (Long-Sedley 19 E), où le même verbe *ekdechomai* est utilisé au sens péjoratif de « prendre un mot dans un sens qu'il n'a pas ».

25. Le « raisonnement sobre » *(nêphôn logismos)* a donc deux aspects, une dimension analytique et une

dimension critique. D'une part, il consiste dans l'analyse et la comparaison des raisons que nous avons de choisir ceci ou cela, tirant ses conclusions de la mesure comparative des plaisirs et des peines. D'autre part, il critique et rejette les opinions fausses que l'on forme communément à propos des désirs, des dieux, de la mort ou de la douleur. Ce faisant, il préserve l'âme du trouble, ou tumulte intérieur. Il œuvre donc directement à l'ataraxie, ou absence de trouble. Sa « sobriété » évoque sa mesure et l'oppose aux excès, à la démesure des désirs sans fondement.

26. Comme chez Aristote, la prudence est une vertu rationnelle ou intellectuelle qui dirige et unifie les autres qualités morales. Toutefois, à la différence de la prudence aristotélicienne, elle prend le plaisir pour règle. De plus, les vertus ne s'autorisent pas d'elles-mêmes, car elles n'ont de valeur que par référence au plaisir qu'elles sont susceptibles de procurer. Pour les épicuriens, en effet, « on choisit les vertus pour le plaisir, et non pour elles-mêmes, de même que l'on choisit la médecine pour la santé » (Diog. Laërce, X, 138). Cela dit, la prudence ne consiste pas exactement à soumettre la moralité au plaisir comme si elle en était un simple instrument ou un moyen parmi d'autres. Tel est le reproche que les stoïciens adressent aux épicuriens. En réalité, la prudence institue plutôt un rapport circulaire entre la vie agréable et les vertus, celles-ci et celle-là s'entraînant réciproquement (voir *MC* V). Les vertus sont les moyens du plaisir, mais des moyens nécessaires. Ainsi, l'épicurien Diogène d'Œnoanda dira que les vertus ne sont pas des fins – seul le plaisir est fin –, mais des « agents producteurs de la fin » (Fr. 32 Smith), tout en précisant que les vertus sont des agents qui produisent des effets immédiats et non pas

des effets différés (Fr. 33 Smith) : les vertus ne s'opposent pas aux plaisirs mais leur sont coextensives. D'une manière générale, le plaisir coïncide avec l'absence de trouble psychique ; or une vie vertueuse, parce qu'elle est une vie de mesure, préserve de fait du trouble psychique.

27. En tout cas, en ce qui concerne la dimension proprement pratique de l'éthique et si « philosophie » est à prendre, ici, au sens d'une activité purement théorique.

28. Ici commence le portrait du sage épicurien. C'est également un résumé de la *Lettre*, qui reprend la structure du « quadruple remède » (voir ci-dessus, p. 16-17) : les dieux, la mort, le plaisir comme fin naturelle, la douleur. Le sage est en quelque sorte la réalisation même de la sagesse qui vient d'être évoquée. Dans le « manuel » de bonheur que constitue la *Lettre à Ménécée*, ce portrait nous invite non pas à appliquer des préceptes abstraits, mais à vivre en compagnie du sage et à l'imiter.

29. « Proclame » : en suivant le texte tel qu'il est édité par Arrighetti et Marcovich.

30. Glose de traduction. Le texte est corrompu en cet endroit.

31. Épicure envisage trois causes possibles : la nécessité, c'est-à-dire l'enchaînement naturel, spontané et mécanique de certaines causes et de certains effets ; la fortune ou hasard ; ce qui dépend de nous. D'où, trois conséquences. *a)* Le destin, comme enchaînement prédéterminé et inéluctable des causes et des effets, est exclu de la liste des causes. La nécessité est dépourvue d'intelligence ou d'intention – elle ne peut donc « rendre de comptes » – et elle n'est pas toute-puissante. Épicure a développé plusieurs arguments contre un déterminisme qui prétendrait se fonder sur l'idée d'une nécessité toute-puissante, au livre XXV de son traité *Sur la nature* (voir

Long-Sedley 20 B-C, GF n° 641, p. 210-214). Voir également-
ment *SV* 40 et Lucrèce, *DRN*, II, 251-293 (ci-dessous :
Dossier Lucrèce 4). Lucrèce, à l'idée d'un enchaînement
inéluctable et tout-puissant des causes et des effets,
oppose le mouvement de déclinaison *(clinamen)* de
l'atome, écart indéterminé par rapport à sa trajectoire
initiale. Ce mouvement est notamment censé rendre raison de notre pouvoir de décision, c'est-à-dire de la capacité qu'a l'esprit de rompre l'enchaînement des causes et
des effets. *b)* Aucune de ces trois causes n'est toute-
puissante et aucune ne peut être éliminée : elles se
limitent réciproquement. Ainsi, le hasard n'est pas écarté
de la liste des causes ; de fait, il peut favoriser ou gêner
certaines de nos actions. Il nous revient d'apprécier son
pouvoir à sa juste mesure. *c)* Ce qui est en notre pouvoir
est limité de l'extérieur par la nécessité et le hasard mais,
en lui-même, il est « sans maître ». Il est donc tout-
puissant dans son ordre. L'autarcie du sage, évoquée au
§ 130, lui permet de rester maître de ses propres désirs
en toutes circonstances. Épicure annonce la dichotomie
opposant ce qui dépend de nous et ce qui ne dépend
pas de nous, distinction qui deviendra emblématique du
stoïcisme impérial, notamment chez Épictète.

32. C'est-à-dire : pas d'autre maître que lui-même.

33. C'est-à-dire : les philosophes de la nature. L'allusion vise probablement Démocrite, qui n'est pas à proprement parler un théoricien du destin, mais pour qui la
Nécessité est le principe qui régit tous les événements,
naturels ou humains. Voir en ce sens la critique de Démocrite, au nom de la déclinaison atomique, chez Diogène
d'Œnoanda, Fr. 54 (Long-Sedley 20 G, GF n° 641,
p. 219).

34. « Une cause inconstante de tout » : en suivant le texte grec tel qu'il est édité par Marcovich. Les hommes ont tort, non pas de penser que le hasard est une cause instable – Épicure le pense également –, mais qu'il est à la fois une cause instable et une cause « totale » ou « de toutes choses ». L'autre possibilité consiste à comprendre *abebaion* au sens de « irréel, non existant » (Arrighetti), « inefficace » (Conche). Pourtant, les épicuriens ne nient pas que le hasard a une certaine efficacité causale, même si elle est toute relative.

35. Ou encore : « qu'elle dispense les ressources qui sont à l'origine de biens et de maux importants ».

36. En ajoutant ici la négation introduite par Meibom et reprise par de nombreux éditeurs.

37. Appel final, en écho aux §§ 122-123, à un exercice tout à la fois rationnel (fondé sur la mesure comparative des plaisirs et des peines, ainsi que sur la science de la nature) et pratique. Il est l'exercice constant du sage lui-même. Ce dernier est présenté sous deux traits, apparemment opposés : celui de sa participation à la sociabilité humaine et celui de sa divinité. Pourquoi un être devenu divin se soucierait-il d'autrui, alors qu'un être divin, incorruptible et bienheureux, est par définition exempt de tout souci, impassible face aux sollicitations de tous ordres ? En réalité ces deux aspects sont complémentaires, et cela pour deux raisons. *a)* Le type particulier de rapport à autrui qui est ici évoqué est l'amitié. Or celle-ci n'est pas présentée comme un adjuvant occasionnel, un ornement facultatif de la vie du sage, puisque celui-ci vit par définition « parmi les hommes ». L'amitié qui rapproche ceux qui s'exercent à la sagesse, loin d'être cause de soucis, renforce les âmes de ceux qu'elle réunit et elle garantit, en ce sens précis, leur « sécurité » (voir

*MC* XXVII ; XXVIII ; XL ; *SV* 52 ; Cicéron, *Fin.*, I, 66-70). L'amitié s'impose donc d'elle-même comme une composante essentielle de la vie bonne. *b)* Le sage vit « comme un dieu », parce qu'il est bienheureux, mais cela ne veut pas exactement dire qu'il *est* un dieu, en tout cas un dieu en tout point identique au divin tel qu'il est évoqué au début de la *Lettre*. De fait, le sage ne devient pas physiquement incorruptible et il vit « parmi les hommes », c'est-à-dire dans le monde qui est le nôtre. La solution est sans doute dans le mode de l'argumentation, c'est-à-dire dans l'analogie suggérée par le « comme » et par la thématique de la ressemblance. De même que les dieux figurent le modèle d'une vie heureuse, de même le sage doit-il être pris pour modèle. De fait, le modèle d'existence qui se rapproche le plus du sien est celui de l'existence divine. Lucrèce pourra dire, en ce sens, qu'Épicure « fut un dieu » (*DRN*, V, 8). Le célèbre prologue du Chant II de Lucrèce, où l'on voit le sage se tenir à distance des tourments d'autrui, est une illustration frappante de la tranquillité quasi divine du sage épicurien (voir ci-dessous Dossier Lucrèce, 5a). Quant aux « biens immortels », il ne peut pas s'agir de biens extérieurs et matériels, mais seulement du véritable savoir que procure la science de la nature, savoir éternel et invariable. Voir Lucrèce, *DRN*, III, 13 ; et *SV* 78, où la sagesse *(sophia)* est présentée comme un « bien immortel ». L'amitié est sans doute, toujours selon la même maxime, un bien périssable puisque l'ami est mortel, mais l'effet bienfaisant de son souvenir nous accompagne après sa mort (*MC* XL). En tout cas, elle participe au caractère divin de la vie du sage en contribuant à la sécurité de son âme : le sage est celui qui vit comme un dieu, non pas *en dépit* de la société des hommes, mais *avec* elle, si ce n'est *grâce* à elle. Voir, sur la conception épicurienne de la sociabilité en général, P.-M. Morel, « Les communautés humaines », dans A. Gigandet, P.-M. Morel (éd.), *Lire Épicure et les épicuriens*, *op. cit.*, p. 167-186.

# DOSSIER

## Lucrèce

## *De la nature des choses*

[les textes cités sont extraits de la traduction
de J. Kany-Turpin, GF-Flammarion]

# I. L'INDIFFÉRENCE DIVINE ET LES RAVAGES DE LA RELIGION

## A) La véritable nature des dieux : incorruptibles, bienheureux et indifférents aux affaires humaines

### I, 44-49

La nature absolue des dieux doit tout entière
jouir de l'immortalité dans la paix suprême,
à l'écart, bien loin des choses de notre monde :
exempte de souffrance, exempte de périls,
forte de ses ressources, sans nul besoin de nous,
elle est insensible aux faveurs, inaccessible à la colère.

### II, 1090-1104

Si tu possèdes bien ce savoir, la nature t'apparaît
aussitôt libre et dépourvue de maîtres tyranniques,
accomplissant tout d'elle-même sans nul secours
                                        [divin.
Ô cœurs sacrés des dieux, pleins d'une paix sereine,
menant vie tranquille et calme éternité,
qui donc peut régir le Tout immense, tenir en main
et maîtriser les puissantes rênes de l'abîme ?
Qui peut faire tourner de concert tous les cieux,
être présent en tous lieux, toujours prêt à fabriquer
les nuées ténébreuses, à frapper de tonnerre
un ciel serein, à lancer la foudre, maintes fois

détruisant ses temples, à se retirer au désert
pour exercer sa rage, essayer un trait qui souvent
épargne les coupables et tue les innocents ?

## B) LA PHILOSOPHIE NATURELLE ENSEIGNÉE PAR ÉPICURE, CONTRE LA PEUR DES DIEUX ET LES EFFETS DE LA SUPERSTITION

### I, 50-145

Désormais, tends l'oreille au raisonnement vrai,
montre un esprit sagace et libre de soucis
pour ne pas dédaigner avant de les comprendre
ces présents que mon soin fidèle a disposés pour toi.
Je t'exposerai l'ultime raison du ciel et des dieux,
je te révélerai quels sont les principes des choses,
d'où la nature crée, accroît et nourrit tous les êtres,
en quoi elle les résorbe à nouveau après la mort.
Dans notre poème, nous appelons ces principes
matière, corps générateurs, semences des choses,
et nous employons aussi le nom de corps premiers
puisque d'eux les premiers tout vient à l'existence.

*Éloge d'Épicure*

La vie humaine, spectacle répugnant, gisait
sur la terre, écrasée sous le poids de la religion,
dont la tête surgie des régions célestes
menaçait les mortels de son regard hideux,
quand pour la première fois un homme, un Grec [1],

--------

1. Épicure.

osa la regarder en face, l'affronter enfin.
Le prestige des dieux ni la foudre ne l'arrêtèrent,
non plus que le ciel de son grondement menaçant,
mais son ardeur fut stimulée au point qu'il désira
forcer le premier les verrous de la nature.
Donc, la vigueur de son esprit triompha, et dehors
s'élança, bien loin des remparts enflammés du
[monde.
Il parcourut par la pensée l'univers infini.
Vainqueur, il revient nous dire ce qui peut naître
ou non, pourquoi enfin est assigné à chaque chose
un pouvoir limité, une borne immuable.
Ainsi, la religion est soumise à son tour,
piétinée, victoire qui nous élève au ciel.

*Critique de la religion ; sacrifice d'Iphigénie*

Mais ici j'éprouve une crainte : tu crois peut-être
apprendre les éléments d'une doctrine impie,
entrer dans la voie du crime quand au contraire
la religion souvent enfanta crimes et sacrilèges.
Ainsi, en Aulide, l'autel de la vierge Trivia
du sang d'Iphigénie fut horriblement souillé
par l'élite des Grecs, la fleur des guerriers.
Dès que sa coiffure virginale fut ceinte du bandeau
dont les larges tresses encadrèrent ses joues,
elle aperçut devant l'autel son père affligé,
les prêtres auprès de lui dissimulant leur couteau,
et le peuple qui répandait des larmes à sa vue.
Muette de terreur, ses genoux ploient, elle tombe.
Malheureuse, que lui servait, en tel moment,
d'avoir la première donné au roi le nom de père ?

Saisie à mains d'hommes, elle fut portée tremblante
à l'autel, non pour accomplir les rites solennels
et s'en retourner au chant clair de l'hyménée,
mais vierge sacrée, ô sacrilège, à l'heure des noces
tomber, triste victime immolée par son père,
pour un départ heureux et béni de la flotte.
Combien la religion suscita de malheurs !

*Il faut vaincre la peur par la connaissance de la nature*

Toi-même, un jour ou l'autre, tu voudras nous
[quitter,
vaincu par les paroles terribles des devins.
Car ils peuvent forger pour toi de nombreux rêves,
capables de bouleverser les normes de ta vie
et de troubler toujours ton bonheur par la crainte !
Et c'est justice : s'ils voyaient un terme à leurs maux,
les hommes parviendraient, d'une manière ou d'une
[autre,
à braver les croyances et les menaces des devins.
Mais quand la mort fait craindre des peines
[éternelles,
il n'est aucun moyen, aucun pouvoir de résistance.
On ignore en effet la nature de l'âme.
Naît-elle avec le corps ou s'y glisse-t-elle à la
[naissance ?
Périt-elle en même temps que nous, dissoute par la
[mort ?
Hante-t-elle les ténèbres d'Orcus et ses marais
[désolés
ou s'insinue-t-elle en d'autres espèces animales,
par miracle divin, comme l'a chanté l'un des nôtres,

Ennius qui rapporta de l'aimable pays des Muses
la première couronne de feuillage immortel
célébrant sa gloire chez tous les peuples d'Italie ?
Et pourtant, oui, pourtant, en ses vers immortels,
Ennius proclame l'existence de l'Achéron,
où s'immergeraient non pas nos âmes ni nos corps,
mais des simulacres étrangement livides.
De ces régions, Homère juvénile à jamais
lui serait apparu, comme il le raconte, et le spectre,
s'étant mis à verser des larmes salées,
lui aurait révélé la nature des choses.
Il faut donc bien saisir les phénomènes célestes,
expliquer les courses du soleil et de la lune,
la force par laquelle tout s'accomplit sur terre,
mais surtout découvrir par un raisonnement subtil
la nature de l'âme et celle de l'esprit,
ce qui se présente à lui et nous frappe de terreur,
éveillés et malades ou ensevelis dans le sommeil,
nous donnant la vive impression de voir et
                                    [d'entendre
après leur mort les êtres dont la terre étreint les os.
Non, je n'ignore pas qu'en vers latins il est difficile
d'éclairer les obscures découvertes des Grecs,
d'autant plus qu'elles requièrent bien des
                                    [néologismes
car notre langue est pauvre et le sujet nouveau.
Mais ta valeur, ton amitié, doux espoir de plaisir,
m'incitent aux plus grands efforts :
dans le calme des nuits, je cherche les mots, le poème
qui répandront dans ton esprit une vive lumière,
pour te révéler enfin le profond secret des choses.

## V, 1161-1240

*La notion des dieux ; la superstition*

Maintenant, quelle cause répandit à travers les
[nations
les puissances divines, remplit les villes d'autels,
recueillit avec soin les rites solennels,
encore célébrés dans les grands États, les grands
[lieux,
d'où vient, encore implantée chez les mortels, la
[terreur
qui fait ériger des temples sur toute la terre
et contraint à les fréquenter aux jours de fête,
il n'est pas si difficile d'en donner la raison.
Alors déjà, les mortels voyaient en effet des dieux
les figures merveilleuses quand leur esprit veillait,
et plus encore en rêve les corps à la taille étonnante.
Ils leur attribuaient la sensibilité
parce qu'ils les voyaient se mouvoir, lancer des
[paroles
hautaines en accord avec leur beauté, leur grande
[force.
Ils leur prêtaient l'immortalité parce que leur visage
se présentait toujours et que sa forme demeurait,
mais aussi parce qu'ils étaient si vigoureux
qu'aucune force, pensaient-ils, ne pouvait les vaincre.
Ils pensaient aussi que leur sort était bien plus
[heureux
parce que la peur de la mort point ne les tourmentait
et qu'ils les voyaient en songe accomplir mille et une
prouesses merveilleuses sans éprouver fatigue aucune.

Et puis ils admiraient le système ordonné du ciel
et le cycle des diverses saisons de l'année,
dont ils ne pouvaient connaître les causes.


Le recours était donc de tout confier aux dieux
et de tout soumettre au signe de leur tête.
Dans le ciel ils placèrent demeures et séjours divins
parce que dans le ciel on voit rouler la nuit et la lune,
la lune, le jour et les ténèbres, les astres sévères de la
                                               [nuit,
les flambeaux nocturnes du ciel, les flammes
                                        [volantes,
les nues, le soleil, les pluies, neige, vent, éclairs et grêle,
les grondements soudains et les grands murmures de
                                               [menace.
Ô race infortunée des hommes, dès lors qu'elle prêta
de tels pouvoirs aux dieux et les dota d'un vif
                                        [courroux !
Que de gémissements avez-vous enfantés pour
                                        [vous-mêmes,
que de plaies pour nous, de larmes pour nos
                                        [descendants !
La piété, ce n'est pas se montrer souvent voilé
et, tourné vers une pierre, s'approcher de tous les
                                        [autels,
ni se prosterner à terre, tendre ses mains ouvertes
devant les temples des dieux, inonder leurs autels
du sang des quadrupèdes, aux vœux enchaîner les
                                        [vœux,
la piété, c'est tout regarder l'esprit tranquille.
Or, quand nous levons les yeux vers les régions
                                        [célestes

du grand monde, l'éther clouté d'étoiles brillantes,
et que nous pensons au cours du soleil et de la lune,
une angoisse en nos cœurs sous d'autres maux
                                    [étouffée
se réveille et commence à redresser la tête :
n'y aurait-il face à nous un pouvoir immense et divin
entraînant les rondes variées des astres candides ?
L'ignorance de la cause assaille notre esprit de doutes :
le monde eut-il une origine, aura-t-il une fin,
jusques à quand les murailles du monde
                                    [pourront-elles
supporter la fatigue d'un mouvement inquiet
ou, dotées par les dieux d'une vie éternelle,
glisseront-elles toujours sous la traction du temps,
bravant les violents assauts des siècles immenses ?
Et quel homme par la crainte des dieux n'a le cœur
serré, tous les membres contractés de frayeur
quand la terre tremble et brûle d'un coup de foudre
                                    [terrifiant
et que des grondements parcourent le vaste ciel ?
Ne voit-on peuples et nations trembler, rois
                                    [despotiques
frappés de crainte religieuse et tout paralysés
à l'idée que pour un acte vil, une fière parole,
voici désormais l'heure accablante du châtiment ?
Quand les vents déchaînent leur fureur sur la mer,
balayant à travers les flots les puissantes légions
et leurs troupes d'éléphants, le commandant de l'escadre
n'invoque-t-il la paix des dieux, oui, plein d'effroi,
n'implore-t-il une accalmie et des vents favorables ?
En vain, puisque saisi par un fort tourbillon
au gouffre de la mort il n'en est pas moins jeté :

tant quelque force obscure broie les destinées humaines,
renverse sous nos yeux les glorieux faisceaux,
les haches cruelles, jouets de son caprice.
Enfin, quand sous nos pieds la terre entière vacille,
quand les villes ébranlées tombent, menacent ruine,
comment s'étonner si les mortels s'humilient,
abandonnant le monde au grand pouvoir des dieux,
à leur force étonnante pour qu'ils gouvernent tout ?

C) Il n'y a pas de providence

## II, 167-182

Certains au contraire [1], ignorant ce qu'est la matière,
pensent que la nature sans les dieux ne pourrait,
en si grande harmonie avec les intérêts humains,
alterner les saisons, produire les moissons,
ouvrir aux mortels ces voies où les dirige
le guide même de la vie, la volupté divine,
quand l'attrait des œuvres de Vénus les invite
à se reproduire pour la survie du genre humain.
Mais croire que les dieux ont tout créé pour l'homme,
c'est se tromper en tout et trahir la vérité.
Même si j'ignorais la nature de ses principes,
d'après le système du ciel et bien d'autres choses,
j'oserais soutenir que le monde ne fut pas créé
divinement pour nous, si grand est son défaut,
comme je le montrerai plus tard, ô Memmius [2] !

---

1. Les stoïciens.
2. Memmius est le dédicataire du poème.

## 2. L'ÂME EST MORTELLE

### A) L'ÂME ET L'ESPRIT VIVENT, SOUFFRENT ET MEURENT AVEC LE CORPS

### III, 417-509

*L'esprit et l'âme naissent et meurent :
ils se dissipent dans l'air après la mort*

Et maintenant sache que dans l'être animé
l'âme et l'esprit légers [1] souffrent naissance et mort :
voici le fruit d'un doux labeur et de longues

[recherches
que je continue d'exposer en des vers dignes de toi.
Allons, comprends l'âme et l'esprit sous un même

[nom
et, quand par exemple je dirai que l'âme est mortelle,
crois bien que je parle de l'esprit lui aussi,

---

1. L'esprit *(animus)* n'est pas substantiellement distinct de l'âme *(anima)*, dont il est une partie ou un aspect. L'esprit régit la vie dans son ensemble, parce qu'il est le siège de la pensée et des émotions, notamment la peur et la joie. La sensation et les affections de plaisir et de douleur sont, en tant que telles, irrationnelles et appartiennent à l'âme hors de l'esprit. La fonction motrice assumée par l'âme s'articule donc à une fonction cognitive supérieure. Cette dernière est située dans la poitrine, ce qui justifie que certains textes épicuriens distinguent, à l'intérieur même de l'âme humaine, entre une partie rationnelle, l'esprit, et une partie non rationnelle, la part de l'âme qui est dispersée dans la totalité du composé (voir *DRN*, II, 269 ; III, 140 ; la scholie à *Hrdt.*, 66 et Aétius, IV, 4, 6).

car ils ne font qu'un tout et sont indissociables.
D'abord, puisque j'ai montré que l'âme subtile
est composée de corps, d'atomes bien plus petits
que ceux qui forment l'eau, le brouillard ou la fumée
– car l'âme est plus mobile, au moindre choc

[s'émeut,

les images de brume et de fumée l'émouvant,
comme lorsque en songe nous voyons les autels
exhaler leur chaleur et leur fumée bien haut,
visions sans nul doute formées par des images –,
et puisque tu vois l'eau des vases agités
s'écouler de tous côtés et partout se répandre,
puisque brume et fumée dans les airs se dissipent,
crois donc que l'âme aussi se répand et plus vite,
bien plus vite se perd, se résout en atomes
quand échappant au corps de l'homme elle se retire.
Car si le corps, vaisseau de l'âme en quelque sorte,
ne peut la contenir quand il est trop agité,
ou raréfié par le retrait du sang hors des veines,
comment croire que l'air, incapable de rien tenir
et plus rare que notre corps, contienne jamais l'âme ?

*Ils se développent et souffrent avec le corps*

Et puis nous le sentons : c'est avec notre corps
que l'esprit naît, grandit et subit la vieillesse.
Comme sur leur corps tendre et frêle les enfants
titubent, ainsi va leur pensée sans vigueur.
Quand ils avancent en âge et deviennent robustes,
leur jugement grandit, leur esprit s'affermit.
Enfin les durs assauts du temps secouent le corps
et, lorsque les membres perdant vigueur défaillent,

l'intelligence boite, la langue s'affole, l'esprit
[chancelle,
toutes choses diminuent et manquent tout à coup.
Il convient donc aussi que la nature de l'âme
dans les hauteurs de l'air comme fumée se dissipe,
puisque nous la voyons naître et grandir avec le
[corps
et, comme je l'ai dit, partager son épuisement.
Il est clair encore que, si le corps éprouve
d'affreuses maladies, de cruelles souffrances,
l'esprit connaît le chagrin amer, le deuil et la crainte.
Il convient donc aussi qu'il partage la mort.
Et puis, le corps étant malade, souvent l'esprit s'égare :
il bat la campagne, déraisonne et délire ;
une lourde léthargie plonge parfois les hommes,
yeux clos, tête tombante, en un sommeil sans fin
d'où ils ne peuvent entendre ou reconnaître alentour
ceux qui tentent de les rappeler à la vie,
le visage et les joues tout ruisselants de larmes.
Admettons donc que l'âme aussi se désagrège
puisque la contagion de la maladie peut pénétrer en
[elle :
oui, souffrance et maladie sont ouvrières de mort,
comme tant de trépas nous l'ont déjà montré.
Et quand l'esprit du vin en l'homme a pénétré,
et diffuse âprement sa chaleur par les veines,
les membres s'alourdissent, les jambes se dérobent,
on titube, la langue s'empâte, l'esprit se noie,
le regard flotte, viennent les cris, les sanglots, les
[querelles
et tout le cortège de semblables effets.

Pourquoi donc ? N'est-ce pas que dans le corps
                          [lui-même
la véhémence du vin vient bouleverser l'âme ?
Mais tout être se laissant bouleverser, entraver
montre qu'il périra, privé de vie future,
quand une cause un peu plus rude s'insinuera.
Souvent même, cédant au brusque accès du mal,
un homme sous nos yeux s'écroule foudroyé,
il écume et gémit, tremble de tout son corps,
délire et se raidit, se tord et, souffle irrégulier,
haletant, il épuise ses membres en convulsions.
C'est que l'âme, à travers les membres déchirée
par la vigueur du mal, écume comme les flots
que l'on voit bouillonner sous des vents violents.
Le gémissement naît de la douleur des membres,
et parce que les atomes de la voix sont arrachés
et sortent en paquets par la route ordinaire,
la bouche, leur grand chemin en quelque sorte.
Le délire vient du trouble de l'âme et de l'esprit
se divisant et se dispersant, comme je l'ai dit,
sous l'effet du poison qui les déchire aussi.
Puis la cause du mal se replie, l'âcre humeur
du corps infecté regagne ses tanières,
et le malade quasi chancelant se relève,
peu à peu recouvre ses sens, reprend conscience.
Si donc ces maladies secouent l'âme et l'esprit,
les déchirent et les tourmentent dans le corps,
comment imaginer que sans corps, à l'air libre,
parmi les vents d'orage, ils puissent subsister ?

B) L'ÂME EST PHYSIQUEMENT DIVISIBLE

### III, 634-669

Et puisque nous sentons que le corps tout entier
est habité de sensibilité vitale,
puisque nous le voyons tout entier animé,
si, d'un coup rapide, le tranche en son milieu
et le sépare en deux une force soudaine,
il est certain que l'âme elle aussi partagée,
coupée avec le corps, en moitiés tombera.
Or ce qui se fend et se divise en parties
ne peut certes prétendre à l'immortalité.
Les chars armés de faux, tout fumants de carnage,
tranchent, à ce qu'on dit, si promptement les
                                           [membres
que l'on voit sur le sol palpiter les tronçons,
mais l'esprit et l'être de l'homme n'ont pouvoir
de sentir la douleur, car le mal est rapide
et l'ardeur du combat absorbe tant l'esprit
qu'avec le corps restant l'un veut lutter et tuer
sans s'apercevoir que les roues armées de faux
                                           [rapaces
ont coupé sa main gauche avec son bouclier
et les entraînent au loin parmi les chevaux,
un autre ignore que sa main droite est coupée
quand il monte à l'assaut et presse l'ennemi,
un autre sur sa jambe arrachée tente de se lever
quand près de lui son pied mourant agite les orteils.
Une tête coupée d'un tronc encore chaud et vivant
garde par terre l'expression vive, les yeux ouverts,
avant qu'elle ait rendu tous les restes de l'âme.

Et si, menacé par le dard vibrant d'un serpent
au grand corps dressé sur sa queue, il te plaît
de le tailler en plusieurs morceaux avec ton épée,
tu verras tous les segments fraîchement coupés
se tordre, asperger la terre de leur venin,
et la partie antérieure se chercher en arrière
pour se mordre elle-même, tant la douleur la brûle.
Dirons-nous donc que ces particules possèdent
des âmes entières ? Mais à ce compte il suivra
qu'un seul animal avait dans son corps plusieurs
                                              [âmes.
Ainsi donc cette âme, qui était seule dans le corps,
s'est trouvée divisée en même temps que lui.
Il faut donc l'un et l'autre les tenir pour mortels
puisqu'en parts ils se laissent également couper.

C) L'ÂME NE MIGRE PAS DANS UN AUTRE CORPS
APRÈS LA MORT

## III, 741-805

Enfin, pourquoi la férocité s'attache-t-elle toujours
à la funeste engeance des lions, la ruse aux renards,
aux cerfs l'instinct de fuite hérité de leurs pères,
l'ancestrale terreur qui fait trembler leurs membres,
bref, tous les traits de ce genre, pourquoi
                                      [s'engendrent-ils
dès le plus jeune âge dans le corps et le caractère
sinon que, définie par le germe et l'espèce,
une sorte d'esprit croît avec le corps de chacun ?
Si l'âme était immortelle et changeait de corps,

les mœurs des êtres animés se confondraient.
Souvent le chien de race hyrcanienne fuirait
l'attaque d'un cerf corné, dans les airs l'épervier
s'envolerait de peur à l'approche d'une colombe.
Déraison chez l'homme, bêtes raisonnables.
Dire en effet qu'une âme immortelle s'adapte
en changeant de corps, c'est raisonner à faux.
Oui, tout ce qui change se dissout, donc périt.
Les parties se transposent et quittent leur ordre ;
il leur faut donc aussi se dissoudre dans les membres
et finalement mourir toutes avec le corps.
Dira-t-on que les âmes d'hommes toujours émigrent
en des corps humains, je demanderai pourtant
pourquoi celle d'un sage peut devenir stupide,
pourquoi l'enfant n'a point le sens rassis, le poulain
autant d'expérience que le cheval dans sa force.
Bien sûr : « en un corps faible s'affaiblit l'esprit »,
telle sera l'esquive, mais il faut donc admettre
que l'âme est mortelle puisqu'elle change dans le

[corps

et perd jusqu'à ce point sa vitalité première.
Et comment pourra-t-elle avec le corps s'affermir
pour atteindre la fleur tant désirée de l'âge
si elle n'épouse son sort dès l'origine ?
Et pourquoi veut-elle sortir de ses membres vieillis ?
Craint-elle de rester prisonnière d'un corps putride
et de voir son logis s'effronder sous le poids des ans ?
Mais, pour un immortel, il n'est point de danger !

Enfin, qu'une âme assiste aux unions érotiques,
aux délivrances des bêtes, c'est bien évidemment
le comble du ridicule. Quoi ! en foule innombrable,

attendre un corps mortel quand on est immortelle,
et lutter de vitesse pour s'y glisser la première !
À moins que les âmes n'aient fait un pacte entre elles :
la première à voler au but se glissera
la première, sans la moindre contestation.

Arbre dans l'éther, nuée au fond des mers
ne peuvent subsister, ni poissons dans les prés,
ni sang au cœur du bois, ni sève en un rocher.
À chacun est fixé un lieu où grandir et loger.
Ainsi donc l'esprit ne peut naître sans corps,
isolé, ni vivre plus loin des nerfs et du sang.
Cela fût-il possible, il serait bien plutôt
capable de naître dans la tête, les épaules, les talons
ou toute autre partie, puisque finalement
il resterait dans le même homme, le même vaisseau.
Mais comme en notre corps il est aussi un lieu
évidemment fixé où l'âme et l'esprit
en place exclusive puissent vivre et grandir,
à plus forte raison faut-il refuser de croire
qu'ils peuvent naître et survivre hors du corps tout entier.
Tu dois donc admettre qu'à l'instant de la mort
l'âme dans le corps déchirée meurt avec lui.
Car coupler mortel et immortel, leur prêtant
sensibilité commune et fonctions réciproques,
quelle folie ! Peut-on rien imaginer
de plus divers, disparate ou discordant
que nature mortelle unie à l'éternelle
pour braver de concert la fureur des tempêtes ?

## 3. LA MORT ET LA PEUR QU'ELLE INSPIRE

### A) LA MORT N'EST RIEN POUR NOUS

### III, 830-869

La mort n'est rien pour nous et ne nous touche en rien
puisque l'esprit révèle sa nature mortelle.
De même qu'autrefois nous n'avons nullement
[souffert
quand les Carthaginois se lançaient partout au
[combat,
quand le monde frappé par ce choc effroyable
tremblait d'épouvante sous les hautes rives du ciel
et ne savait auquel des deux camps échoirait
l'empire des humains sur la terre et les mers,
de même quand nous ne serons plus, l'âme et le
[corps
dont l'unité formait la nôtre désormais séparés,
rien, absolument rien, nous qui ne serons plus,
ne pourra nous atteindre ou émouvoir nos sens,
fût-ce le déluge, mer, ciel et terre confondus.
Et si même, après s'être arrachés du corps,
l'âme et l'esprit gardent la sensibilité,
elle n'est rien pour nous dont l'unité constitutive
repose sur l'union consacrée de l'âme et du corps.
Non, même si le temps recueillait notre matière
après la mort, la plaçant dans son ordre actuel,
la lumière de la vie nous fût-elle rendue,
non, cela ne pourrait nullement nous toucher,
notre propre mémoire étant dès lors brisée.

Même aujourd'hui, ce que nous fûmes auparavant
ne nous importe en rien, ne nous tourmente en rien.
Contemple derrière toi cet espace immense
du temps passé et songe à tous les mouvements
de la matière, ainsi tu t'en convaincras aisément :
les atomes dont nous sommes aujourd'hui formés
se rangèrent souvent dans le même ordre qu'aujourd'hui,
mais notre mémoire ne peut ressaisir le passé
car la vie entre-temps a marqué une pause
et tous ses mouvements sont allés çà et là
voguer à l'aventure loin de la sensation.
Oui, s'il doit y avoir maux ou douleurs futurs,
il faut pour en souffrir que l'homme existe encore.
Puisque la mort exclut ce fait, abolissant
l'être en qui les tracas pourraient se concentrer,
assurément la mort n'a rien pour nous de redoutable.
Qui n'existe plus ne peut être malheureux
et il n'importe en rien que l'on soit né un jour,
quand la mort immortelle a pris la vie mortelle.

B) LES LAMENTATIONS À L'IDÉE DE LA MORT
ET LA RÉPONSE DE LA NATURE

### III, 870-977

Si donc tu vois un homme s'indigner de son sort
à l'idée de pourrir après la mort, cadavre abandonné,
de finir dans les flammes ou sous la dent des fauves,
sois certain que ces mots sonnent faux et qu'en son
                                        [cœur

lui point un aiguillon secret quand bien même il
                                    [proteste
qu'il ne croit dans la mort garder aucune sensation.
Il trahit, je pense, promesses et principes
et ne s'arrache pas radicalement à la vie,
mais laisse à son insu quelque chose de son être
subsister, car tout vivant imaginant son corps
lacéré dans la mort par les rapaces et les fauves
s'apitoie sur lui-même et ne s'abstrait de là,
ne se retire assez du gisant qu'il croit être,
l'infectant de ses sensations, là, debout.
Ainsi s'indigne-t-il de sa condition mortelle,
sans voir qu'en la vraie mort aucun autre lui-même
ne pourra déplorer, vivant, sa propre perte,
debout, souffrant d'être à terre, lacéré ou brûlé.
Car s'il y a douleur dans la mort elle-même
à être malaxé par les mâchoires des fauves,
je ne vois pas pourquoi il n'est pas malheureux
de rôtir à la chaleur des flammes d'un bûcher,
d'étouffer dans du miel, de se roidir de froid
sur la dalle glacée du sépulcre où l'on gît,
d'être pris et broyé sous le poids de la terre !

« Las, las, plus de maison pour t'accueillir gaiement,
plus d'épouse excellente, d'enfants chéris courant
se disputer tes baisers et touchant ton cœur
d'une douceur secrète ! Tu ne pourras plus assurer
le succès de tes affaires, le soutien de ta famille.
Quelle pitié, pauvre homme ! Il a suffi d'un jour
                                    [funeste
pour t'arracher toutes ces joies, ces présents de la
                                    [vie. »

Mais à ces paroles ils oublient d'ajouter :
« Nul regret de ces choses ne pèsera sur toi. »
S'ils voyaient bien cela dans leur esprit et parlaient
                                                    [en conséquence,
ils se délivreraient d'une grande angoisse et peur de
                                                        [l'esprit.


« Toi, du moins, tel que tu es dans la mort endormi,
tel à jamais tu seras, exempt de toute souffrance.
Mais nous, près de tes cendres, de ce bûcher horrible,
inlassablement nous pleurons, et ce chagrin
éternel, aucun jour à nos cœurs ne l'arrachera. »
Demandons-nous alors ce qui a tant d'amertume,
si la chose revient au calme et au sommeil,
pour que l'on se consume en un deuil éternel.
Souvent même festoyant une coupe à la main,
le front ombragé de guirlandes, les convives s'écrient,
tout émus : « Brève jouissance pour les petits
                                                    [hommes !
Bientôt enfuie, jamais nous ne pourrons la
                                                    [rappeler. »
Comme s'ils n'imaginaient rien de pire dans la mort
que d'être dévorés, desséchés par la soif aride,
ô malheureux ! ou tenaillés par tout autre désir.
Mais nul n'a nostalgie de soi-même ou de la vie
quand l'esprit et le corps sont tous deux endormis.
Oui, nous accepterions qu'un tel repos fût éternel,
et nul regret de nous ne nous tourmente alors.
Pourtant, les atomes épars dans l'organisme
ne vont pas s'égarer loin des mouvements sensitifs
puisque l'homme au réveil se ressaisit lui-même.
Concluons que la mort nous est bien moins encore,

s'il peut y avoir moins que ce qui n'est vraiment rien.
Plus grands sont en effet la dispersion et le désordre
de la matière après la mort, et nul ne se relève
une fois qu'est venue la froide pause de la vie.

*Prosopopée de la nature*

Enfin, si tout à coup se mettant à parler
la Nature en personne admonestait l'un de nous :
« Qu'est-ce donc, ô mortel ? Pourquoi ces pleurs
                                    [morbides,
ce goût des lamentations ? Pourquoi geindre sur la
                                    [mort ?
Si ta vie antérieure, et passée, te fut agréable,
si tant de bonheurs, comme dans un vase sans fond
engloutis, n'ont point fui sans plaisir ni profit,
pourquoi ne pas t'en aller, tel un convive repu,
et ne pas prendre, pauvre fou, calmement le repos ?
Mais si tu as laissé tous ses fruits s'échapper,
si la vie t'importune, pourquoi demander plus,
quand tout finirait mal, à nouveau gaspillé ?
Que ne préfères-tu achever tes jours et tes peines !
Car de nouveaux plaisirs que j'inventerais pour toi,
il n'en est plus aucun. Tout est toujours pareil.
Si ton corps n'est déjà flétri par les ans, tes membres
épuisés, languissants, tout demeure pourtant semblable.
Tout, même si tu pouvais vaincre en longévité
toutes les générations et ne mourais jamais. »
Que répondre sinon que la nature intente
un juste procès et défend la vérité ?
Si c'est un homme plus âgé, un vieillard qui gémit,
pleurant sans mesure le malheur de mourir,

ne serait-elle en droit de crier plus violemment :
« Arrête-moi ces pleurs, gouffre béant, ravale ces
                                                [plaintes !
Les biens de la vie tous épuisés, te voilà décrépit.
Mais à toujours vouloir ce que tu n'as pas,
à mépriser ce que tu as, la vie s'est écoulée,
incomplète et sans joie, et soudain tu t'étonnes :
la mort s'est installée à ton chevet avant
que tu ne puisses prendre congé du monde,
content et rassasié. Mais maintenant, allons !
laisse tous ces biens qui ne sont plus de ton âge
et, l'âme sereine, cède la place : il le faut. »


Juste procès à mon sens, justes cris et reproches.
Vieillesse toujours cède au monde nouveau qui la
                                                [chasse
et toute chose doit en reformer une autre.
Au gouffre ténébreux du Tartare nul n'est livré.
Il faut de la matière pour les générations nouvelles
qui, leur vie accomplie, te suivront dans la mort
puisque aussi bien que toi jadis elles moururent.
Ainsi les êtres ne cessent de naître l'un de l'autre.
Nul ne reçoit la vie comme propriété ;
usufruit seulement, telle est la loi pour tous.
Et vois derrière toi quel néant fut pour nous
l'éternité du temps avant notre naissance.
Tel est donc le miroir où la nature nous montre
le futur, oui, le temps qui suivra notre mort.
Qu'y perçoit-on jamais d'horrible et de funeste ?
N'est-ce point un état plus paisible que le sommeil ?

C) Il n'y a pas d'enfer après la mort : nous ne souffrons que de notre vivant

## III, 978-994

*L'enfer n'est qu'une allégorie*

Tous les supplices qu'en l'abîme infernal
place la tradition, dans notre vie résident.
Point de malheureux, un roc en suspens sur sa tête,
Tantale dit la légende, glacé d'un vain effroi.
Ce sont plutôt les peurs des mortels en leur vie :
vaine crainte des dieux et du sort qui les guette.
Point de Tityos [1] gisant aux enfers, proie d'oiseaux
qui vraiment ne pourraient dans sa vaste poitrine
trouver de quoi fouiller durant l'éternité !
Si monstrueuse que soit l'étendue de son corps,
ses membres écartelés couvriraient-ils la terre entière
au lieu d'occuper simplement neuf arpents,
il ne pourrait sentir éternelle douleur
ni fournir de son corps pâture inépuisable.
Tityos est parmi nous, c'est l'homme dans l'amour
[gisant,
lacéré par ses vautours, les angoisses dévorantes,
ou celui que déchirent les affres d'autres passions.

---

1. Dans la mythologie, Tantale et Tityos sont deux suppliciés des Enfers. Le second est puni pour avoir tenté de s'unir à Léto, épouse de Zeus. Les « neuf arpents » du vers 989 font allusion à la dimension de son corps dans les Enfers.

D) Vaincre la peur de la mort par l'étude
de la nature

## III, 1053-1075

Si les hommes pouvaient, aussi bien qu'ils ressentent
au fond de leur esprit le poids qui les épuise,
en connaître les causes et savoir d'où provient
cette masse énorme, le mal qui tient leur cœur,
ils ne vivraient pas comme on les voit très souvent
                                             [vivre,
ignorant ce qu'ils veulent et réclamant toujours
un autre lieu, comme pour y déposer leur fardeau.
Tel se précipite hors de sa vaste demeure,
dégoûté d'être à la maison, et soudain rentre,
ne se sentant pas mieux, nullement, au-dehors.
Il court, il vole à sa villa, harcelant sa monture,
comme s'il venait secourir les bâtiments en flammes.
Le seuil à peine atteint, il se met à bâiller,
tombe en un lourd sommeil pour tenter d'oublier,
à moins qu'il ne se hâte d'aller revoir la ville.
Ainsi chacun cherche à se fuir, impossible rêve :
on reste fixé à soi-même et l'on se hait,
car la cause du mal échappe à qui en souffre.
Si on la voyait bien, laissant là tout le reste,
on se consacrerait à l'étude de la nature
car son enjeu n'est pas une heure seulement,
mais l'état éternel dans lequel les humains
resteront tout le temps au-delà du trépas.

## 4. DÉCLINAISON DES ATOMES ET LIBERTÉ

### II, 251-293

Enfin, si tout mouvement s'enchaîne toujours,
si toujours d'un ancien un autre naît en ordre fixe
et si par leur déclinaison les atomes ne prennent
l'initiative d'un mouvement qui brise les lois du destin
et empêche les causes de se succéder à l'infini,
libre par toute la terre, d'où vient aux êtres vivants,
d'où vient, dis-je, cette volonté arrachée aux destins
qui nous permet d'aller où nous conduit notre plaisir
et d'infléchir nous aussi nos mouvements,
non pas en un moment ni en un lieu fixés
mais suivant l'intention de notre seul esprit ?
Car, en ce domaine, la volonté de chacun
prend évidemment l'initiative et c'est à partir d'elle
que les mouvements se distribuent dans les membres.
Ne vois-tu pas qu'à l'instant où s'ouvrent les stalles
le désir des chevaux n'arrive pas à s'élancer
aussi vite qu'il se forme dans leur esprit ?
Car toute la masse de matière dans le corps
doit être mise en branle à travers les divers membres
et suivre d'un commun effort l'intention de l'esprit.
Ainsi, vois-tu, la source du mouvement est le cœur,
c'est de la volonté qu'il procède tout d'abord,
puis il se communique à l'ensemble de l'organisme.
Rien de tel lorsque nous avançons, poussés
par une force étrangère, puissante et contraignante.
Dans ce cas, en effet, toute la matière de notre corps
se trouve évidemment entraînée malgré nous

jusqu'à ce que la volonté la freine en tous nos membres.
Comprends-tu maintenant ? Bien qu'une force externe
souvent nous pousse et nous fasse avancer malgré nous,
ravis, précipités, quelque chose en notre poitrine
a le pouvoir de combattre et de résister.
C'est à son arbitre que toute la matière
doit aussi se plier dans le corps et les membres,
se laisser réfréner dans son élan, ramener au repos.
Il faut donc reconnaître que les atomes aussi,
outre les chocs et le poids, possèdent en eux-mêmes
une cause motrice d'où nous vient ce pouvoir
puisque rien, nous le voyons, de rien ne procède.
Oui, le poids empêche que tout arrive par des chocs,
par une sorte de force étrangère, mais si l'esprit n'est pas
régi en tous ses actes par la nécessité interne,
s'il n'est pas, tel un vaincu, réduit à la passivité,
c'est l'effet de la légère déviation des atomes
en un lieu, en un temps que rien ne détermine.

## 5. La sagesse et la satisfaction des désirs naturels

### a) La sagesse et le spectacle des tourments d'autrui

#### II, 1-16

Douceur, lorsque les vents soulèvent la mer immense,
d'observer du rivage le dur effort d'autrui,
non que le tourment soit jamais un doux plaisir
mais il nous plaît de voir à quoi nous échappons.

Lors des grands combats de la guerre, il plaît aussi
de regarder sans risque les armées dans les plaines.
Mais rien n'est plus doux que d'habiter les hauts
[lieux
fortifiés solidement par le savoir des sages,
temples de sérénité d'où l'on peut voir les autres
errer sans trêve en bas, cherchant le chemin de la vie,
rivalisant de talent, de gloire nobiliaire,
s'efforçant nuit et jour par un labeur intense
d'atteindre à l'opulence, au faîte du pouvoir.
Pitoyables esprits, cœurs aveugles des hommes !
Dans quelles ténèbres mortelles, quels dangers
passe leur peu de vie !

B) LA NATURE EST FACILE À SATISFAIRE

## II, 16-46

Ne voient-ils l'évidence ?
La nature en criant ne réclame rien d'autre
sinon que la douleur soit éloignée du corps,
que l'esprit jouisse de sensations heureuses,
délivré des soucis et de crainte affranchi.
Ainsi nous le voyons, bien peu de choses sont
[nécessaires
à la nature corporelle et tout ce qui ôte la douleur
peut aussi nous donner maintes délices en échange.
Il est parfois plus agréable, et la nature est satisfaite,
si l'on ne possède statues dorées d'éphèbes
tenant en main droite des flambeaux allumés
pour fournir leur lumière aux nocturnes festins,

ni maison brillant d'or et reluisant d'argent,
ni cithares résonnant sous des lambris dorés,
de pouvoir entre amis, couchés dans l'herbe tendre,
auprès d'une rivière, sous les branches d'un grand arbre,
choyer allégrement son corps à peu de frais,
surtout quand le temps sourit et que la saison
parsème de mille fleurs les prairies verdissantes.
Et les fièvres ne quittent pas plus vite le corps
si l'on s'agite sur de riches brocarts de pourpre
que si l'on doit coucher sur un drap plébéien.
Les trésors donc à notre corps ne profitant,
non plus que la noblesse ou la gloire d'un trône,
il ne reste qu'à les juger vains pour l'esprit.
À moins qu'à voir tes légions au Champ de Mars [1]
hardiment engager les simulacres de guerre,
† à grand renfort d'escadrons et de cavalerie
tout aussi équipés et tout aussi féroces, †
les superstitions n'abandonnent ton esprit,
effrayées, les terreurs de la mort ne s'enfuient,
laissant ton cœur libre de toute inquiétude.

## C) Dissiper les peurs par l'étude de la nature

### II, 47-61

Mais si l'on ne voit là que simple dérision,
si les peurs, en vérité, et les soucis tenaces
ne craignent ni les coups ni le fracas des armes

---

1. Lieu de manœuvres militaires. Les signes †...† qui suivent
un vers plus bas indiquent un passage corrompu.

et logent hardiment parmi rois et puissants,
sans respect pour l'or ni la pourpre éclatante,
comment douter que seule la raison puisse les
[vaincre,
surtout quand la vie entière lutte dans les ténèbres ?
Car de même que les enfants tremblent et craignent
[tout
dans les ténèbres aveugles, nous craignons en plein jour
parfois des chimères aussi peu redoutables que
celles dont les enfants s'effraient dans les ténèbres
et qu'ils s'imaginent prêtes à surgir.
Ces terreurs, ces ténèbres de l'âme, il faut les dissiper.
Le soleil ni l'éclat du jour ne les transperceront,
mais la vue et l'explication de la nature.

# BIBLIOGRAPHIE

## TRADUCTIONS – ÉDITIONS

### ÉPICURE

ARRIGHETTI G., *Epicuro, Opere*, Turin, Einaudi, 1961 ; 1973² (édition du texte grec, traduction italienne et notes).

BALAUDÉ J.-F., *Épicure. Lettres, maximes, sentences*, Paris, Le Livre de Poche, 1994 (introduction, traduction française et notes).

BOLLACK J., *La Pensée du plaisir. Épicure : textes moraux, commentaires*, Paris, Minuit, 1975 (introduction, édition du texte grec, traduction française et notes).

CONCHE M., *Épicure, Lettres et Maximes*, Villers-sur-Mer, Éditions de Mégare, 1977 ; Paris, P.U.F., 1987 (introduction, édition du texte grec, traduction française et notes).

### LUCRÈCE

KANY-TURPIN J., *Lucrèce, De la nature. De rerum natura*, Paris, Aubier, 1993 ; GF-Flammarion, 1997² (introduction, édition du texte latin, traduction française et notes).

### DIOGÈNE LAËRCE

GOULET-CAZÉ M.-O. (dir.), *Diogène Laërce. Vies et doctrines des philosophes illustres*, Paris, Le Livre de Poche, 1999 (introductions, traduction française et notes).

LONG H.S., *Diogenis Laertii Vitae Philosophorum*, recognovit brevique adnotatione critica instruxit H.S. L., Oxford, Oxford University Press, 1964 (édition du texte grec).

MARCOVICH M., *Diogenes Laertius. Vitae Philosophorum*, I, Stuttgart/Leipzig, Teubner, 1999 (édition du texte grec).

### COLLECTIONS DE TEXTES ÉPICURIENS

DELATTRE D., PIGEAUD J. (dir.), *Les Épicuriens*, Paris, Gallimard, « Bibliothèque de la Pléiade », à paraître en 2009.

LONG A.A., SEDLEY D., *Les Philosophes hellénistiques*, trad. fr. par J. Brunschwig et P. Pellegrin, Paris, GF-Flammarion, 2001, vol. I.

USENER H., *Epicurea*, Leipzig, 1887.

– *Epicurea*. Testi di Epicuro e testimonianze epicuree nella raccolta di Hermann Usener. Testo greco e latino a fronte, Traduzione e note di Ilaria Ramelli, Presentazione di Giovanni Reale, Milan, Bompiani, 2002.

## SUR L'ÉPICURISME ANTIQUE

ALGRA K.A., KOENEN M.H., SCHRIJVERS P.H. (éd.), *Lucretius and his Intellectual Background*, Amsterdam, North Holland, 1997.

BAILEY C., *The Greek Atomists and Epicurus*, Oxford, Clarendon Press, 1928.

BALAUDÉ J.-F., *Le Vocabulaire d'Épicure*, Paris, Ellipses, 2002.

BÉNATOUÏL T., LAURAND V., MACÉ A. (éd.), *Les Cahiers philosophiques de Strasbourg*, 15 : « L'épicurisme antique », Strasbourg, 2003.

BOYANCÉ P., *Lucrèce et l'épicurisme*, Paris, P.U.F., 1963.

CONCHE M., *Lucrèce et l'expérience*, Éditions de Mégare, Treffort, 1990³.

GIANNANTONI G., GIGANTE M. (éd.), *Epicureismo Greco e romano*. Atti del congresso internazionale, Naples, 19-26 maggio 1993, Naples, Bibliopolis, 1996.

GIGANDET A., MOREL P.-M. (éd.), *Lire Épicure et les épicuriens*, Paris, P.U.F., « Quadrige Manuels », 2007.

GILLESPIE S., HARDIE P. (éd.), *The Cambridge Companion to Lucretius*, Cambridge, Cambridge University Press, 2007.

GOULET R., « Épicure de Samos », dans R. Goulet (dir.), *Dictionnaire des philosophes antiques*, T. III : d'Eccélos à Juvénal, Paris, CNRS Éditions, 2000, p. 154-181.

LÉVY C., *Les Philosophies hellénistiques*, Paris, Le Livre de Poche, 1997.

MOREL P.-M., *Épicure. La nature et la raison*, Paris, Vrin, 2009.

RODIS-LEWIS G., *Épicure et son école*, Paris, Gallimard, 1975.

SALEM J., *L'Atomisme antique. Démocrite, Épicure, Lucrèce*, Paris, Le Livre de Poche, 1997.

WARREN J. (éd.), *The Cambridge Companion to Epicureanism*, Cambridge, Cambridge University Press, 2009.

## SUR L'ÉTHIQUE ÉPICURIENNE

BRUNSCHWIG J., « L'argument des berceaux chez les Épicuriens et chez les Stoïciens », dans *Études sur les philosophies hellénistiques. Épicurisme, stoïcisme, scepticisme*, Paris, P.U.F., 1995, p. 69-112.

ENGLERT W.G., *Epicurus on the Swerve and Voluntary Action*, Atlanta, Scholars Press, 1987.

GOLDSCHMIDT V., *La Doctrine d'Épicure et le droit*, Paris, Vrin, 1977.

GUYAU J.-M., *La Morale d'Épicure*, Paris, 1886 ; rééd. Fougères, Encre Marine, 2002.

KANY-TURPIN J., « Les dieux. Représentation mentale des dieux, piété et discours théologique », dans A. Gigandet, P.-M. Morel (éd.), *Lire Épicure et les épicuriens*, Paris, P.U.F., « Quadrige Manuels », 2007, p. 145-165.

MITSIS Ph., *Epicurus' Ethical Theory. The Pleasures of Invulnerability*, Ithaca/Londres, Cornell University Press, 1988.

MOREL P.-M., *Atome et nécessité. Démocrite, Épicure, Lucrèce*, Paris, P.U.F., 2000.

– « Les communautés humaines », dans A. Gigandet, P.-M. Morel (éd.), *Lire Épicure et les épicuriens*, Paris, P.U.F., « Quadrige Manuels », 2007, p. 167-186.

O'KEEFE T., *Epicurus on Freedom*, Cambridge, Cambridge University Press, 2005.

SALEM J., *Tel un dieu parmi les hommes. L'éthique d'Épicure*, Paris, Vrin, 1989.

– *La mort n'est rien pour nous. Lucrèce et l'éthique*, Paris, Vrin, 1990.

– « Commentaire de la *Lettre d'Épicure à Ménécée* », *Revue philosophique*, 1993-3, p. 513-549.

SEDLEY D., « Epicurus' Refutation of Determinism », dans *Suzètèsis. Studi sull'epicureismo greco e romano offerti a M. Gigante*, Naples, Bibl. della Parola del Passato, 16, 1983, I, p. 11-51.

– « The inferential Foundations of Epicurean Ethics », dans G. Giannantoni, M. Gigante (éd.), *Epicureismo Greco e Romano...*, Naples, Bibliopolis, 1996, p. 313-339.

– *Lucretius and the Transformation of Greek Wisdom*, Cambridge, Cambridge University Press, 1998.

TSOUNA V., *The Ethics of Philodemus*, Oxford, Oxford University Press, 2007.

WARREN J., *Epicurus and Democritean Ethics. An Archaeology of Ataraxia*, Cambridge, Cambridge University Press, 2002.

– *Facing Death. Epicurus and his Critics*, Oxford, Clarendon Press, 2004.

– « L'éthique », dans A. Gigandet, P.-M. Morel (éd.), *Lire Épicure et les épicuriens*, Paris, P.U.F., « Quadrige Manuels », 2007, p. 117-143.

Composition et mise en pages

NORD COMPO
m u l t i m é d i a

N° d'édition : L.01EHPNFG1274.N001
Dépôt légal : avril 2009
Imprimé en Espagne par Novoprint (Barcelone)